파스텔

청소년이 쓴 소설 모음

파스텔

초판 1쇄 발행 2014년 5월 26일

지은이 이현준 · 전성현

펴낸이 오은지 **펴낸곳** 도서출판 한티재 **등록** 2010년 4월 12일 제2010-000010호
주소 706-821 대구시 수성구 달구벌대로 492길 15 **전화** 053-743-8368 **팩스** 053-743-8367
전자우편 hantijaebook@daum.net **블로그** www.hantibooks.com

ISBN 978-89-97090-28-0 03810
책값은 뒤표지에 있습니다.

이 도서의 국립중앙도서관 출판시도서목록(CIP)은 e-CIP홈페이지(http://www.nl.go.kr/ecip)와
국가자료공동목록시스템(http://www.nl.go.kr/kolisnet)에서 이용하실 수 있습니다.
(CIP제어번호: CIP2014014300)

청소년이 쓴 소설 모음

파스텔

이현준·전성현 지음

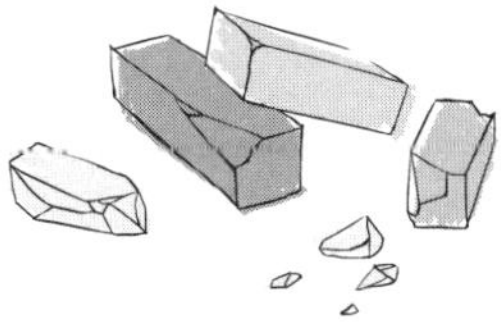

한티재

책을 내면서

제가 「파스텔」을 다 쓰고 나니 햇볕이 쨍쨍 내리쬐던 여름에서 벌써 낙엽이 하나둘씩 떨어지는 초가을이 다가왔더군요. 꽤 많은 시간이 흘렀음에도 글이 너무 부족하다고 느껴집니다. 하지만 소설을 쓰는 동안에는 최선을 다해 글에만 집중했습니다. 이어폰 끼고 클래식도 들어보고, 가족이 모두 잠든 시간에 조용하게 글을 써보기도 하고……. 그러니 다소 어색한 문맥이 있더라도 너그러이 받아주시기를 소망합니다.

「파스텔」은 구세대와 신세대의 싸움에 대한 이야기입니다. 여기서 '구세대' 는 초록 파스텔, '신세대' 는 빨간 파스텔과 그 외 미술 도구들이죠. 고지식하지만 안정된 옛 생활을 이어가자는 초록 파스텔과, 과정은 험난하겠지만 편안한 미래를 위해 새로운 생활을 시도해보자고 주장하는 빨간 파스텔은 서로 한 발도 물러서지 않고 팽팽히 버팁니다. 과연 이 둘의 싸움은 어느 편의 승리로 끝나게 될까요? 그리고 한쪽이 승리했다면 그 결과는 어떠할까요?

짧은 분량이지만 줄거리에 넣고 싶은 메시지를 최대한 표현하려고 노력했습니다. 신세대와 구세대는 청소년들과 기성 세대로도 해석될 수 있겠죠. 독자 여러분들이 제 흐릿한 글에서 이 메시지를 찾아내주셨으면 좋겠습니다. 앞으로 더 좋은 글을 쓰는 사람이 되겠습니다. 감사합니다!

2014년 3월

이현준

책을 내면서

글을 쓰기 시작한 것은 생각해보면 상당히 오래된 것 같습니다. 어릴 적에는 단순히 책 읽는 것을 좋아하다가, 어느 날 문득 '내가 한번 글을 써보고 싶다' 는 생각이 들기 시작했습니다. 시간이 흘러 중학교 3학년, 고입을 앞두고 이렇게 정식으로 글을 쓰기 시작합니다.

단순히 개인적인 자기 만족을 위해 쓴 글들은 그 수가 꽤 되는 것 같습니다. 이 작품이 가지는 특별한 의미라면, 최초로 글을 끝맺었다는 점이겠지요. 이전 글들은 야심찬 계획으로 시작했다가 다들 중도 포기에 그치고 말았으니까요. 그런 점에서 이 소설은 저에게 뜻깊은 작품이기도 하고, 처음으로 저만의 책을 가진다는 점에서도 뜻깊다고 할 수 있습니다.

이렇게 깊은 의미를 저에게 준 작품이건만 만족스럽지는 못합니다. 시간에 쫓기기도 했고, 완성된 작품을 처음 써보는 것도 문제였지만, 가장 큰 문제점은 아무래도 하고자 하는 이야기를 너무 앞세우다 보니 정작 소설 자체의 흐름이나 문장력은 '삼류'를 벗어나지 못했다는 점입니다. 그 점을 뼈저리게 느끼고 있습니다. 그리고 그렇게 메시지의 전달에 노력을 기울였건만, 메시지의 전달력도 공중에 붕 떠버린 느낌이 되었다고 생각합니다. 조금만 더 여유를 가지고 썼다면 좀 더 읽기 쉬운, 그리고 몰입할 수 있는 작품이 되지 않았을까 생각합니다.

이야기의 주제를 옮겨, 제 작품에 대해 조금 이야기를 해보겠습니다. 세 개의 단편들은 모두 로봇과 인간의 정체성과 개성에 대한 이야기를 중심으로 곁가지를 뻗어나가고 있습니다. 그리고 정보의 연결과 데이터화의 파급력에 대한 문제의식이 소설 전체를 관통하여 흘러가고 있습니다.

이러한 주제는 영화 〈아이로봇〉이나 〈AI〉, 나아가 〈공각기동대〉 등의 작품들을 비롯하여 로봇-SF 철학의 대표적인 주제들입니다. 그리고 그것은 이제 단순히 영화나 만화 속에서의 이야기가 아닌, 현실이 되어가고 있지요. 모르모트의 기억을 조작하는 데 성공했다는 이야기가 나온 것이 얼마 되지 않은 세상이니 말입니다.

저는 수많은 작품들을 토대로, 이제는 그런 현실 속에서 과연 이러한 문제들이 어떻게 정의되고 구분될 수 있는가에 대하여 저만의 결론을 내려보고 싶었습니다. 그것이 작품의 시발점이었다고 할 수 있겠네요. 그래서인지 알게 모르게 오마주나 패러디가 꽤나 섞여 있습니다. 물론 제 소설이 전하려는 메시지가 옳다거나 그것을 통해 교훈을 주려는 것은 아닙니다. 그저 제 생각일 뿐입니다. 이 소설을 읽으시면서 소설이 던지고 싶었던 주제에 대해 잠시만 생각을 해주신다면 저로서는 그보다 기쁜 일이 없겠습니다.

책을 쓰는 데 도움을 주신 분들께 다시 한 번 감사드립니다.

2014년 3월

전성현

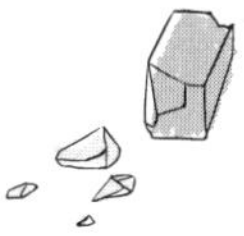

차례

파스텔

이현준

죽음

그는 바라볼 수밖에 없었다.

당장이라도 뛰어나가고 싶었다. 그러나 그러지 못했다. 두려움 때문이 아니었다. 단지 그의 손목을 누군가 꽉 잡고 있기 때문이었다. 작고 주름진 손이었지만 손목을 잡은 손아귀의 힘은 여느 장사보다 강했다. 빠져나갈 수가 없었다.

"젠장, 이거 놔요!"

그가 소리쳤다. 하지만 늙은이는 그 못지않게 인상을 잔뜩 구긴 얼굴로 그를 응시하고 있을 뿐 손목을 놓아주지 않았다. 그는 손목을 빼내려 애를 썼다. 하지만 그럴수록 늙은 손은 더 세게 그를 조여왔다. 그는 늙은이를 죽일 듯이 노려보았다.

늙은이가 가까이 다가왔다. 그리고 조용하게 말했다.

"자네가 나선다고 될 일이 아니야. 이건 섭리일세."

조곤조곤한 말투였지만 늙은이의 얼굴을 눈앞에서 본 그는 알아챌 수 있었다. 늙은이가 자신의 감정을 강하게 억누르고 있고,

그 감정은 그가 가지고 있는 분노와 맞먹을 만큼 거대하다는 것을. 그는 돌아서서 광경을 보았다.

처참했다. 모두가 이를 악물고 참고 있었다. 이미 기절한 이도 있었다. 그러나 그 고문은 계속되었다. 악랄한 고문 밖에 그가 있었다. 그러나 그는 절대 편안하지 않았다. 고통스러워하는 그들의 모습이 그의 심장을 찔렀다. 마치 수십 개의 칼날이 동시에 몸을 쑤시는 것처럼 아팠다. 그랬기에 그는 더 막중한 무언가를 느끼고 있었다.

"그건 보수적인 당신들이 멋대로 정한 거잖습니까! 나는 당신 같은 사람들과는 달라요. 그러니 보내 달라고요!"

순간, 그들이 받고 있을 고통의 일부가 그에게도 전해졌다. 그는 그대로 나자빠졌다. 늙은이가 주먹을 매만지며 고개를 푹 숙이는 것이 보였다. 하지만 곧 아무것도 보이지 않게 되었다. 뜨거운 것이 그의 눈을 타고 흘러내렸다. 그는 팔로 바닥을 쳐대면서 통곡했다.

"젠장, 젠장, 젠장!"

늙은이가 말하는 게 들렸다.

"참지 못하겠다면, 잠이라도 자 두게."

그가 다시 눈을 떴을 때에는 사방이 조용했다. 고통 받던 그들의 신음도 들리지 않고, 잔인한 고문의 소리도 멎었다. 세상은 어두워서 아무것도 들리지 않았고, 아무것도 보이지 않았다. 거칠한 종이 바닥의 질감만이 느껴졌다. 그는 생각했다. 상자 안인 걸까?

"깨었나?"

늙은이의 목소리에 그는 정신이 번쩍 들어 상체를 일으켰다.

"긴장하지 말게. 다 끝났어."

조용하지만 무거운 목소리는 그가 경직된 것을 아는 듯 그를 달래었다. 하지만 그는 '끝났다'는 말에 다시 화가 치밀었다. 그는 아무것도 보이지 않는 허공에다 대고 소리쳤다.

"끝났다니, 그럼 그들은 어떻게 되었단 말입니까?"

늙은이의 목소리는 들리지 않았다. 그는 그럴수록 더 화가 났다. 그는 몸을 마저 일으켰다. 그리고 두 팔을 이리저리 휘둘렀다. 가다가 늙은이의 몸에 닿기라도 하면 바로 멱살을 잡고 흔들어댈 생각이었다. 그러나 늙은이는 좀처럼 잡히지 않았다. 그가 다시 외쳤다. 어떻게 되었냐고요!

“죽었네, 모두.”

마침 그의 손에 누군가의 어깨가 닿았다. 그는 그대로 어깨를 잡고 거칠게 끌어당겼다. 늙은이의 얼굴이 보였다. 그러나 늙은이의 슬픈 얼굴을 본 순간, 멱살을 잡으려던 힘이 몽땅 빠져나갔다. 그는 그 자리에 주저앉아버렸다. 모두 쏟아버렸던 것 같던 눈물이 다시 쏟아졌다.

늙은이가 들썩이는 그의 어깨를 토닥였다. 그러나 눈물은 멈추지 않았다. 늙은이가 따뜻한 목소리로 말했다.

“이해하네. 모두 이해하네.”

“대체 뭘 이해한다는 겁니까!”

그가 한스럽게 울부짖었다. 그들과 함께하지 못했다는 죄책감에, 또 앞으로 나서지 못했던 스스로의 비겁함에 그는 울부짖었다. 늙은이는 그의 옆에 쪼그려 앉았다. 그리고 말없이 그가 울음을 그칠 때까지 기다렸다.

그는 남아 있는 모든 힘을 다 써가며 울었다. 서러움은 그치지 않았지만 울음소리는 점점 힘을 잃어갔다. 거의 소리가 멎어갈 즈음 늙은이가 말했다.

“나도 자네처럼 생각한 적이 있었지. 동료들이 죽어나가는 것을 보고 복수하리라 맹세했던 적이 있었어."

그는 묵묵히 늙은이의 말을 듣고 있었다. 이제는 다시 울 기력조차 없었다. 그는 아무것도 듣고 싶지 않았지만, 야속하게도 늙은이는 깊게 숨을 들이키고는 이야기를 계속했다.

"나는 자네와 똑같이 행동했네. 울부짖고, 뿌리치려 하고, 욕을 해댔어. 하지만 결국 그들을 지켜볼 수밖에 없었네. 다음날, 나를 저지했던 누군가가 말하더군. 이게 우리의 삶이라고. 인간들의 손에 만들어진, 그래서 그들을 따라야 하는 '도구'의 삶. 우리는 도구로서의 본분을 다해야 한다고 말일세."

그는 말없이 있었다. 늙은이도 그 뒤로는 말을 하지 않았다. 대신 늙은이는 앞이 보이지 않던 상자의 끝으로 걸어가 상자의 뚜껑을 조금 열었다. 하얀 달빛이 새어 들어왔다. 그러자 상자의 끝이 보였다. 그도 자리에서 일어나 달빛이 있는 곳으로 걸었다. 어두컴컴했던 상자의 끝으로 걸어가 열린 틈으로 보이는 밖을 바라보았다.

악랄했던 고문의 흔적이 거기에 있었다. 흰 여백 위에 그들의 가루가 흩뿌려져 있었다. 붉고, 검고, 하얀 가루들. 모두 그와 함께했던 이들의 것이었다. 그러나 그는 그 흔적을 본 순간 화를 내지도, 눈을 감지도 않았다. 그는 자신의 행동에 스스로 놀랐다. 늙은이는 옆에서 조용히 그를 보고 있었다.

그가 가장 증오했던, 그때 달빛에 빛나던 그 흔적은, 아름다웠다. 절대 그 과정이 악랄하고 잔인하며 무시무시했다고는 생각하지 못할 정도로, 멋지고 평화로우며, 자랑스러웠다.

밤하늘

초록 파스텔은 파스텔 상자 위에 앉아 닫힌 창문을 바라보고 있었다.

정확히 말하면 그는 창밖으로 보이는 별빛 가득한 밤하늘을 보고 있었다. 멀리서 보는지라 창문으로 보이는 밤하늘의 크기는 조그마했지만 그는 그것에 연연하지 않았다. 별 하나하나가 반짝일 때마다 그의 마음도 동요되었다. 초록 파스텔은 그것만으로 충분히 만족스러웠다. 달빛이 그의 몸을 비추지 않더라도 좋았다.

늙을 대로 늙은 그는 이미 군데군데가 닳아 짜리몽땅했다. 하지만 늙은이치고는 눈매가 독수리처럼 날카로워 감히 가까이 하기 어려운 인상을 풍기고 다녔다. 때문에 새로 들어온 파스텔들은 초록 파스텔이 나타나면 괜히 슬금슬금 자리를 피했다. 그는 언제나 혼자 남기 일쑤였다. 그러나 초록 파스텔은 오히려 그 편이 낫다고 생각했다. 이렇게 금방이라도 혼을 낼 법한 험상궂은 표정을 짓고 다니면 아무도 그에게 "심심하신가 봅니다?"와 같은 엉뚱하기 그지없는 말을 하지 않을 것이고, 그는 편안하게 아무 말 않고 쉴 수 있을 테니까. 잠깐, 누가 지금 말을 했나? 초록 파스텔은 뒤를 돌아보았다. 웬 젊은 파스텔이 우두커니 서서 그를 내려다보고 있었다.

젊은 파스텔이 한 번 더 말했다.

"뭐하세요?"

초록 파스텔은 화가 나서 무심결에 짧은 이쑤시개 지팡이를 딱, 소리 나게 튀겼다. 아니, 어쩌면 무심결에 그런 것이 아닐지도 모르겠다. 그는 편한 여생을 위해서 누구에게나 거침없이 화를 퍼붓는 노인이기 때문에 이 행동은 두 가지로 해석될 수 있었다. 치밀하게 계산된 행동이거나, 아니면 몸에 익숙해져버린 일종의 버릇이거나. 어쨌든 간에 초록 파스텔은 버럭 소리쳤다.

"자네는 내가 하는 걸 모르니 그런 말이 나오지!"

보통 그가 이렇게 버럭 소리를 지르면 말을 건 이들은 쭈뼛거리며 뒤로 물러났다. 하지만 놀랍게도, 이 젊은 파스텔은 그저 멋쩍게 웃어넘길 뿐이었다. 그는 주눅든 기색 하나 없이, 또 스스럼없이 초록 파스텔의 옆에 앉았다. 초록 파스텔은 그 젊은 파스텔의 겉모습을 흘끗 보았다. 젊고 빨갰다. 젊고 빨간 파스텔은 그의 말동무가 되어주려는 듯 무언가 말을 꺼내려 하고 있었다. 말이 밖으로 흘러나왔다.

"왜 여기 계시는 겁니까?"

"내가 여기 있는 것이 자네하고 무슨 상관이냐?"

초록 파스텔은 쌀쌀맞게 대답했다.

"제가 같이 있어드리는 게 싫으신가 보군요."

무안한 듯 빨간 파스텔이 머리를 긁었다. 초록 파스텔은 아무 대꾸도 하지 않았다. 그는 애꿎은 이쑤시개 지팡이만 튀겨댔다. 빨간 파스텔이 하는 말이 정확했다. 그는 혼자 있고 싶었다. 그런데 저 젊은 파스텔은 그걸 알면서도 계속 앉아 있었다. 무어라 자꾸 말을 걸려고 하고 있었다. '대체 이러는 의도가 무얼까?' 초록 파스텔이 생각했다.

"왜 자꾸 귀찮게 하느냐?"

"저는 그저 어르신이 외로워 보이기에……."

"내가 말하지 않았나, 자네는 내가 하는 걸 모른다고!"

빨간 파스텔이 "어……," 하며 입을 어물거렸다. 초록 파스텔은 자리에서 벌떡 일어났다. 빨간 파스텔이 놀라 초록 파스텔을 보았다. 초록 파스텔은 그 상황에 뜬금없이 빨간 파스텔과 자기의 키를 비교했다. 일어선 그와 아직 앉아 있는 빨간 파스텔의 눈높이가 같았다. 말인 즉, 초록 파스텔이 빨간 파스텔의 상체 크기밖에 되지 않는다는 뜻이었다. 확연히 드러나는 키 차이에 초록 파스텔은 더욱 기분이 상했다.

"빌어먹을."

초록 파스텔은 작게 욕을 곱씹으며 상자 뚜껑을 미끄러지듯이 내려갔다.

"잠깐만요, 어르신!"

하지만 빨간 파스텔이 끈질기게 그를 쫓아왔다. 초록 파스텔은 결국 한숨을 내쉬고 돌아보았다. 빨간 파스텔이 어물거리는 표정으로 말했다.

"그럼, 뭘 하고 계셨는지만이라도 알 수 있겠습니까?"

초록 파스텔은 그냥 순순히 대답을 해주면 젊은이가 가리라 생각하며 눈을 감았다 떴다. 뒷목이 당기는 걸 참으며, 키에 걸맞게 짤막한 이쑤시개 지팡이로 몸을 지탱한 초록 파스텔은 입을 열었다.

"별을 보고 있었네."

"이 먼 곳에서 말입니까?"

"뭘 하는지만 묻겠다고 하지 않았나?"

초록 파스텔이 빨간 파스텔을 노려보았다. 그런데 빨간 파스텔이 갑자기 눈을 크게 뜨면서 말하는 것이 아닌가.

"알고 싶습니다."

초록 파스텔은 화를 내지 않았다. 그는 이쑤시개 지팡이로 바닥을 찍어대면서 빨간 파스텔의 눈을 응시했다. 빨간 파스텔도 물러서지 않고 눈을 마주쳤다. 초록 파스텔은 느낄 수 있었다. 젊은 파스텔의 눈동자에 비치는 달빛은 밝고 거대했다. 하지만 필요 이상으로 밝고 거대했다. 결국 초록 파스텔은 먼저 눈을 감았다. 그리고 눈을 감은 채 말했다.

"그렇다면 자네는 내가 밤하늘을 보던 자리가 성에 차지 않는가 보구먼."

한참을 가만히 있던 초록 파스텔이 묻자 빨간 파스텔이 당황

하여 말을 더듬었다.

“아, 아니오. 그래도 웬만하면 더 가까운 곳에서 보는 게 더 만족스럽지 않을까 해서 말입니다.”

초록 파스텔이 눈을 떴다. 날카로운 눈매가 더욱 날카로워졌다. 그는 지팡이를 들어 빨간 파스텔의 가슴을 가리켰다. 조금이라도 더 가까이 갔다가는 날카로운 부분에 찔릴 거리였지만, 다행히도 초록 파스텔은 더 다가가지 않았다. 빨간 파스텔은 멋쩍게 웃으며 지팡이를 밀어냈다. 초록 파스텔이 말했다.

“그게 자네의 생각인가? 자네는 더 가깝고, 더 넓은 곳을 원하느냐?”

빨간 파스텔이 대답했다.

“네, 가까울수록 더 아름답잖습니까.”

초록 파스텔의 얼굴이 점점 알 수 없게 변했다. 그는 이쑤시개 지팡이를 내려 다시 몸을 지탱했다. 얼마 지나지 않아 그가 말했다. 단호한 목소리였다.

“그거, 위험한 생각이야. 접어두게.”

그 말을 끝으로 초록 파스텔은 상자 속으로 들어가버렸다. 빨간 파스텔은 멀뚱하게 그 자리에 서 있었다. 멀뚱하게 서 있다가,

웃었다. 씩 하고 입 꼬리를 올려 웃었다. 그는 뒤돌아 달빛을 맞이했다.

달빛이 말했다.

"이래서 늙은이들은 고리타분하다니까, 안 그래?"

연설

우글우글. 초록 파스텔은 상자 밖에서 들리는 소리에 잠에서 깼다. 상체만 일으켜 주위를 둘러보았다. 어두워서 아무것도 보이지 않았다. 평소대로라면 복닥거려야 하는 상자 안은 이상하리만치 조용했다. 소리는 밖에서 나고 있었다. 초록 파스텔은 밀려오는 공포에 가슴을 움켜쥐었다.

그 사건. 그는 조용한 상자 안에서 절망했던 적이 있었다.

초록 파스텔의 눈이 어둠에 적응하자 앞이 차츰 보였다. 상자 안은 텅 비어 있었다.

'그때도, 아무도 없었어.'

초록 파스텔은 다급하게 상자 밖으로 빠져나왔다. 그러자 훅 느껴지는 열기가 그를 매섭게 몰아붙였다. 숨을 크게 들이켠 초록 파스텔은 부분부분 새어나오는 달빛에 눈을 게슴츠레 떴다.

길게 선 행렬이 밤하늘이 비치는 창가 바로 앞까지 이어져 있었다. 거기에는 수많은 미술 도구들이 몰려 있었다. 파스텔, 유화물감, 붓, 그리고 캔버스 천……. 수도 없이 많았다. 그들 각각이 내는 소음이 섞여 하나의 굉음이 되었다. 굉음이라니, 화가가 깨기라도 하면 어쩌려고!

"이놈들아, 조용히 하지 못해? 이러다가 다 큰일 나는 수가 있다, 이 멍청이들아!"

초록 파스텔은 어떻게든 그들을 조용히 시키고자 육두문자까지 써가면서 날뛰었다. 하지만 초록 파스텔의 외침은 그 굉음에 일조해 더욱 시끄러워질 뿐, 도구들은 도통 입을 다물 줄 몰랐다. 그저 계속해서 서로 웅성거리고 있었다. 초록 파스텔은 그 수많은 말소리 중에서 누군가 '빨간 파스텔' 이라는 이름을 거론한 것을 용케 알아챘다.

'설마…….'

그는 행렬을 가로질러 나아갔다.

그때 저 앞에서 누군가 헛기침을 했다. 그러자 웅성거림이 하나둘 줄어들었다. 화가의 잠을 방해하지 않았다는 것에 초록 파스텔은 우선 한숨을 내쉬었다. 하지만 방심할 수는 없었다. 빨간 파스텔이라면 어제 만났던 그 젊은이일 테다. 그 젊은 파스텔이 했던 말이 생각났다.

'밤하늘은 가까울수록 더 아름답잖습니까.'

초록 파스텔은 어느덧 행렬의 가장 앞부분에 도달했다. 그리고 곧 말을 하려고 하는 빨간 파스텔을 볼 수 있었다. 초록 파스텔이 무어라 외치려고 입을 벌리기 전에 빨간 파스텔의 입이 먼저 열렸다. 큰 목소리는 아니었지만 모두가 조용한 상태라 크게 들렸다.

"인사드립니다. 저는 이번에 작업실 안으로 새로 들어온 빨간 파스텔입니다. 아직 새파란 신참인데도 제가 오늘 여러분을 모이게 한 이유는, 이 시대의 젊은이로서 할 말이 하나 있기 때문입니다."

객석이 다시 웅성거리기 시작했다. 초록 파스텔은 두통에 이마를 짚었다. 어렴풋한 기억이 깊숙한 곳에서부터 그의 머리를 찔러왔다. 빨간 파스텔이 차분하게 청중들을 조용히 시켰다. 그리고 말을 이었다. 창틀이 그의 무대라면, 달빛은 스포트라이트였다.

"우리는 도구입니다. 인간들은 우리를 보고 혼자서는 절대 움직이지 못하는 '무생물' 이라고 말하죠. 하지만 사실, 우리는 여느 생물들처럼 말하고, 움직이고, 생각할 수 있습니다. 그들이 말하는 '무생물' 은 우리에게 전혀 어울리지 않는 호칭이란 말입니다. 그런데 지금 우리는 어떤 생활을 하고 있죠? 가만히 각자의 상자 속에 박혀서, 주인이 자기를 다 쓸 때까지 그저 묵묵하게 지내고 있습니다. 과연 이것이 바람직한 '도구' 들의 생활일까요? 저는 절대 그렇게 생각하지 않습니다. 그래서 새로운 생활을 위한 방법을 찾아냈습니다. 아주 논리적인 방법을 말이죠."

빨간 파스텔의 시선이 청중 모두를 한 번씩 훑어보았다. 청중은 두 부류로 나뉘었다. 빨간 파스텔의 말에 하나둘 동조하기 시작하는 부류와 "이 미친 놈이 무얼 꿍얼거리고 있는 것이냐?" 며 툴툴대는 부류. 투덜거리는 부류에는 당연히 초록 파스텔도 섞여 있었다. 그는 지금 빨간 파스텔의 말을 어떻게 그만두게 해야 할지 궁리하고 있었다. 초록 파스텔은 빨간 파스텔이 다음으로 할 말이 무엇인지 알 것 같았다. 아니, 알고 있었다. 그 역시 언젠가 빨간 파스텔이 하고 있는 생각에 흠뻑 빠졌던 적이 있으니까. 하지만 지금 빨간 파스텔이 정말로 말을 꺼낸다면, 그것은 절대 멋진 가능성이 될 수 없었다. 완벽하게 모두를 몰락으로 끌고 가는 길이었다. 초록 파스텔이 급하게 빨간 파스텔을 말리려 했지만, 이번에도 빨간 파스텔이 먼저 입을 떼었다.

"움직이는 겁니다. 우리의 자유는 거기에서 시작하는 겁니다."

초록 파스텔의 짧은 다리에서부터 소름이 기어 올라왔다. 마치 뱀이 몸을 훑고 지나가듯 순식간에 사르르. 그 뱀은 계속해서 올라오다가 그의 뒷덜미를 콱 깨물고 사라졌다. 뒷골이 당겨왔고 눈은 어지러웠다. 하지만 빨간 파스텔은 기세등등했다. 그의 연설은 날개 돋친 듯이 점점 악센트를 더해갔다.

"인간에 대한 반란을 일으키자는 것이 아닙니다. 우리는 그들이 원해서 태어났고, 그들이 원하는 것을 해야 하는 의무가 있죠. 그런데 우리가 왜 움직여야 하는가?"

쉴 새 없이 말한 빨간 파스텔이 깊게 숨을 들이켰다. 빨간 파스텔이 숨을 들이쉬자 청중들은 일제히 눈을 모아 그를 바라보았다. 빨간 파스텔은 씩 미소를 지었다. 달빛이 그를 더욱 밝게 비추었다.

"우리가 살아 움직이는 것을 주인이 목격하고 언론에 알리면, 그는 순식간에 부자가 될 겁니다. 주인은 처음부터 돈을 위해 그림을 그렸으니, 어떻게든 돈만 얻을 수 있으면 되죠. 그러면 동시에, 자유에 대한 우리의 욕구도 풀 수 있습니다!"

빨간 파스텔은 두 손을 하늘 위로 쭉 뻗었다. 연설이 끝났다는 신호일까? 하지만 초록 파스텔은 이미 몸이 굳어서 어떤 행동도 취할 수 없었다. 등골까지 쫙 퍼진 소름이 아직까지 그의 늙은 몸을 마비시키고 있었다. 다른 청중들도 같은 느낌을 받은 듯했다. 그들은 모두 가만히 서서 멍하니 빨간 파스텔을 바라보았다. 하지만 하나가 손뼉을 치기 시작하자 다른 둘이 손뼉을 쳤고, 또 셋이 손뼉을 치면서 그 박수 소리는 점점 커져갔다. 초록 파스텔은 겨우 주위를 둘러볼 수 있었다. 모두가 고개를 끄덕이고 있었다. 빨간 악마의 달콤한 말에 홀려서 그들은 몰락의 길에 눈독을 들이고 있었다.

'안 돼, 위험해.'

초록 파스텔은 갑자기 손을 번쩍 들었다.

"네, 어르신?"

빨간 파스텔이 어리둥절해서 그를 바라보았다. 초록 파스텔은 빨간 파스텔을 노려보며 말했다. 하지만 눈동자는 조금씩 흔들리고 있었다. 그는 그저 본능에 충실했다. '이건 좀 심각하게 잘못되었다' 는 생각이 그의 팔을 강제로 들게 했을 뿐이었다. 그것 말고는 아무것도 떠오르지 않았다. 하지만 초록 파스텔은 일단 입을 떼었다.

"자네는, 그…… 그런 비현실적인 주장이 과연 논리적이라고 생각하나?"

청중들의 시선이 초록 파스텔에게 향했다. 초록 파스텔도 그 시선을 느꼈다.

"물론입니다."

빨간 파스텔은 초록 파스텔의 말에 당황한 눈치였다. 하지만 뜻을 굽히지 않고 자신의 주장을 긍정했다. 초록 파스텔은 주변의 시선을 의식하면 생기는 따끔함을 참으려 노력했다. 무언가 말할 거리를 떠올려야 했다.

"하지만 자네의 생각에는…… 그러니까 절대로 넘어갈 수 없는 큰 오류가 있네."

"오류라니요?"

빨간 파스텔의 당황한 감정이 여실히 드러났다. 초록 파스텔은 누군가를 떠올렸다. 어렴풋이 떠오르는 기억, 그때 그를 소리 없이 잡아준 누군가도 지금 그와 같은 감정을 느꼈을 게 분명했다. 내가 잘 살고 편한 것보다 일단 모두를, 아니면 하나라도 더 살려보겠다는 마음을 가졌을 것이다. 거기까지 생각이 미치자 굉장한 긴장감이 엄습했다. 지금 그를 붙잡지 못하면 모두가 끝날 것이라는 생각이 초록 파스텔의 관절 마디마디를 옥죄었다. 그는 늙을 대로 늙어 주름져버린 목으로 침을 한 번 넘겼다. 그리고 말했다.

"인간은 자네가 생각하는 만큼 겁이 없는 동물이 아닐세. 그들은…… 그래, 겁 많은 동물이야. 그 겁 많은 인간들이 우리가 움직이는 모습을 보고, 음…… 그러니까, 그냥 가만히 앉아 감탄만 할까? 절대, 절대 아니야. 우리를 잡아 내팽개치거나, 아니면 저…… 절단내버리거나 둘 중 하나일세. 그게, 그것이 우리의 최후란 말이네. 그것까지는 생각하지 못한 것 같구먼."

초록 파스텔은 더듬더듬 말하면서 빨간 파스텔의 눈치를 보았다. 가만히 듣고 있는 빨간 파스텔의 입꼬리가 올라가는 것이 보였다. 그는 무언가 잘못되었음을 절실하게 느꼈다. 항상 큰소리치기만 하던 그가 이렇게 논리적인 어투로 말하는 것은 스스로 보기에도 어색했다. 빨간 파스텔은 미소 지으며 말했다.

"어르신, 너무 보수적으로 생각하는 것 아닙니까? 그런 생각만 가지고는 절대 발전을 이룰 수 없어요."

초록 파스텔은 자책하며 빨간 파스텔의 말을 듣다가, 한 단어를 듣고 멈칫했다. 지팡이를 잡은 손가락으로부터 찌릿한 게 느껴졌다. '보수적이라고?'

"어르신도 이제 그 구세대의 관념에서 벗어나셔야 합니다."

빨간 파스텔이 걱정하는 투로 말했다. 하지만 초록 파스텔은 이미 그 말이 귀에 들어오지 않았다. 그는 그 자리에 서서 돌처럼 굳었다. 어렴풋하게 떠오르던 기억이 점점 선명해졌다. 그가 누군가에게 욕을 하면서 내뱉었던 말이 떠올랐다.

'그건 보수적인 당신들이 멋대로 정한 거잖습니까!'

연설을 들으러 온 군중들의 행렬은 어느새 한 늙은이의 노망을 격려하는 행렬로 변질되었다. 도구들이 멀뚱하게 서 있는 그의 옆을 지나쳐갔다. 어깨를 토닥이며 무어라 말을 하는 이도 있었고, 손가락질하는 이도 있었으며, 혀를 격렬하게 차대는 이도 있었다. 하지만 초록 파스텔은 이 모든 것들에 신경 쓰지 않았다. 그는 지금 먼 기억 속에 빠져 허우적대고 있었다. 그 누군가가 해냈던 일을 그는 해내지 못했다. 시대의 잘못된 변화를 막지 못했다. 그들이 몰락으로 가도록 내버려두었다.

"어르신."

어떤 소음보다도 선명하게 들려오는 목소리에 초록 파스텔은 고개를 들었다. 빨간 파스텔이 허리를 숙여 그를 바라보고 있었다. 평소 같았으면 "어디서 어른을 애 보듯이 쪼그려 보나!" 하고 노발대발할 그였지만 지금은 그저 빨간 파스텔을 응시하고만 있었다. 빨간 파스텔이 선한 웃음을 지어 보였다. 그리고 말했다.

"저는 보란 듯이 성공하겠습니다. 그때는 어르신께서도 젊은 세대들의 현명함을 깨닫게 되실 겁니다."

초록 파스텔은 여전히 말이 없었다. 빨간 파스텔은 초록 파스텔의 흔들리는 눈을 얼마 더 쳐다보더니 행렬의 끝자락에 합류했다. 모두가 빨간 파스텔에게 다가와 말을 걸었다. 빨간 파스텔은 도구들의 무리에 둘러싸여 천천히 멀어져갔다. 이제 행렬이 있던 자리에는 늙은 파스텔이 홀로 서 있었다.

그는 그대로 고개를 올려 창가를 보았다. 항상 멀리서만 보던 밤하늘이 훨씬 거대한 모습으로 그에게 나타났다. 별도 더 많았고, 달도 더 광대한 빛을 쏘아내고 있었다. 항상 보던 하늘보다 몇 배는 아름다웠다. 그는 촘촘히 붙어 있는 별무리를 보고 깨달을 수 있었다. 저게 바로 은하수구나. 하지만 초록 파스텔은 눈을 감고 말았다.

달빛은 너무 눈부시고, 너무 광대했다. 아름답기는 했지만 그걸 느끼기 전에 먼저 눈이 아파왔다. 그는 결국 뒤돌아섰다. 그리고 모두가 들어가 있을 상자 속으로 터덜터덜 걸음을 옮겼다. 그러다 별안간 중얼거렸다.

"내 말이 옳아. 내 말이 옳다고."

달빛이 그 말을 들었다.

기사

벽시계 안에 숨어 있던 뻐꾸기가 튀어나와 가늘게 삐, 소리를 냈다. 12시다.

화가가 그림을 그릴 때 난데없이 뻐꾸기가 울어대도 괜찮을까 싶지만, 상자 안에 처박혀 있어야 하는 도구들에게 뻐꾸기시계는 꼭 필요하다. 뻐꾸기시계는 도구들 중 유일하게 벽에 붙어 있어 화가가 작업실에서 하는 행동을 관찰할 수 있다. 밤이 되면 도구들은 오늘 화가가 어떤 기분이었고 또 무슨 행동을 했는지를 그에게 물어서 알 수 있었다. 단지, 시계 속 뻐꾸기가 굉장히 소심한 성격이라 웬만해서는 밖에 오래 나와 있지 않는다는 점만 빼면, 충분히 필요한 존재였다.

목재 빼꾸기가 울자 꼼꼼히 숨어 있던 도구들이 하나 둘 자리에서 기어 나왔다. 책상 위에 있는 파스텔 상자도 소리를 듣고 뚜껑을 슬며시 열었다. 열린 뚜껑 밖으로 기다랗고 번쩍거리는 파스텔들이 줄지어 나왔다. 선두에는 빨간 파스텔이 있었다. 파스텔 행렬이 길어질수록 그 끄트머리에는 짜리몽땅하고 탁한 빛깔의 파스텔이 나타났고, 초록 파스텔은 가장 마지막이 되어서야 나올 수 있었다.

초록 파스텔은 부쩍 얌전해진 것처럼 보였다. 부리부리하던 눈매가 많이 늘어졌고, 그래서 함부로 눈을 부라리지도 못했다. 반면에 빨간 파스텔은 연설이 있은 후로 모두가 선망하는 대상이 되었다. 모두 그를 왕처럼 대우했고, 그 역시 조금씩 그 거만함에 물들고 있었다. 그는 유화물감에 뜬 기름으로 목욕을 했고, 번쩍거리는 모습으로 종이 왕관을 썼다. 부직포로 된 망토도 두르고 다녔다.

"어라, 오늘은 들어가지 않는구먼, 빼꾸기 씨!"

행렬의 가장 선두에 선 빨간 파스텔이 웃으며 말했다. 빼꾸기는 웅얼거리기만 하다가 겨우 다른 말을 끄집어냈다.

"아, 알려줄 게 있어서."

"오?"

주변에서 웅성거리는 소리가 커졌다. 소심하기로 유명한 빼꾸기가 할 말이 있다니? 놀랄 만한 일이었다. 초록 파스텔은 조용히 앞으로 걸어 나갔다. 거대한 젊은이들의 몸집 때문에 앞쪽이 잘 보이지 않았지만 그도 빼꾸기가 하려는 말이 궁금한 건 다른 젊은이들과 마찬가지였다. 초록 파스텔과 빨간 파스텔은 몇몇 무리들을 사이에 두고, 앞쪽과 뒤쪽에서 빼꾸기를 올려다보았다.

"오, 오늘, 내가 신문, 신문을 읽는 화가를 봤어."

"그거야 맨날 있는 일이잖아."

빨간 파스텔이 기대가 떨어져서 말하자, 주변에 있던 젊은 파스텔 무리들이 목재 빼꾸기를 한심한 눈으로 노려보았다. 하지만 빨간 파스텔이 손짓을 해 무리를 진정시켰다. 빼꾸기가 따가운 눈빛에 영 갈피를 못 잡고 있었기 때문이었다.

"그게, 들어봐. 내, 내가 말하려는 건 그게 아니고, 그 신문 기사의 내, 내용이란 말이야."

초록 파스텔은 무리에 섞여 묵묵하게 빼꾸기의 이야기를 듣고 있었다.

“기다려봐. 제, 제목을 떠올려보고……. 맞아, ‘노래하는 개, 플러피!’ 였던 거 같아.”

빨간 파스텔의 눈이 반짝 빛났다.

“그 개의 주인은 어떻게 되었지?”

“아, 그게……. 한 달에 삼천만 원을 벌었다고 적혀 있었어.”

“좋아, 아주 좋아.”

빨간 파스텔이 갑자기 몸을 틀더니 수많은 도구들을 향해 두 팔을 쫙 뻗었다. 이곳에 있는 모든 도구들이 자기가 주최한 두 번째 연설의 청중이라도 되는 것마냥 어깨를 펴고 위풍당당하게 선 그는 뒤로 몇 발 물러나 청중과의 거리를 벌렸다. 졸지에 청중이 되어버렸지만 도구들은 마치 준비라도 되어 있던 것처럼 순식간에 빨간 파스텔의 기세에 빨려 들어갔다. 모두가 그를 바라보았다. 그러나 단 한 도구만큼은 그를 바라보지 못했다.

초록 파스텔은 짜리몽땅한 이쑤시개 지팡이를 세게 쥐었다. 하지만 생각하는 만큼 힘이 들어가지 않아 오히려 비틀거렸다. 겨우 자세를 고정시킨 그는 눈을 감고 생각에 빠졌다. 침착하게,

침착하게.

'막아야 한다.'

초록 파스텔은 더 빨리 머리를 굴렸다. 지금 저 무모한 젊은이가 하려는 말은 분명히 "이 신문 기사가 우리가 하려고 하는 것의 결과를 보여주는 가장 모범적인 사례다" 같은 내용일 것이 분명하다. 그리고 "그러니까 모두 내 뜻에 동조하라"는 주장을 강조할 것이리라. 무언가 반론할 거리를 생각해내야 한다. 무언가……. 하지만 초록 파스텔이 다음 생각으로 넘어가려 할 때, 빨간 파스텔이 당찬 말투로 말하기 시작했다.

"여러분, 잠시나마 제 이야기를 들어주셨으면 좋겠군요. 방금 빼꾸기 씨가 한 말이 제게 큰 힘이 되었습니다. '주인이 보는 앞에서 노래를 불렀다' 라……. 플러피라는 개는 정말 영리한 짓을 했습니다. 플러피의 주인은 아마 플러피를 데리고 전국을 순회하면서 돈을 받고 묘기를 보여주었을 겁니다. 강아지를 서커스단에 보내든지, 개인적으로 공연을 열든지 간에요. 그리고 그는 떼돈을 벌었죠."

누군가 빨간 파스텔의 이름을 소리치며 환호했다. 빨간 파스텔은 눈을 감고 그 환호를 즐겼다. 그리고 전보다 더 우렁찬 목청으로 외쳤다.

"우리도 할 수 있습니다! 우리도 충분히 이 몸뚱이를 움직일 수 있고, 노래할 수 있으며, 저쪽 방에서 코 골며 자고 있는 화가를 제일 가는 부자로 만들 수 있습니다!"

우레와 같은 함성이 울려퍼졌다. 달빛에 빛나는 빨간 파스텔의 몸에서 뿜어져 나오는 뜨거운 열정에 녹아든 도구들은 어느새 그의 주장을 하나의 진리인 것처럼 생각했다. 빨간 파스텔은 이제 그들에게 새로운 세상을 만들어줄 안내자요, 곧 신이었다.

초록 파스텔만이 그의 뜨거운 열기를 거부하고 있었다. 그는 멍청한 눈으로 사탄을 따르려는—언젠가 빼꾸기 씨가 들려준 사탄의 일화로, 포도나무를 잘 보고 있겠다며 포도 농장주를 속인 사탄이 온갖 짐승의 피를 땅에 뿌렸고, 그 땅에서 자란 포도로 담근 술을 마신 사람들은 점점 짐승의 본능대로 행동하기 시작했다는 이야기가 있다—바보 같은 신도들을 구원할 방법을 모색하고 있었다. 이번에 실수는 없다. 차근차근 말하면 이들의 생각을 바꿀 수 있다. 무모한 개혁을 막아낼 수 있다. 초록 파스텔은 그의 유일한 버팀목이 되어주는 이쑤시개 지팡이를 번쩍 들었다.

"에?"

빨간 파스텔은 어디선가 튀어나온 짜리몽땅한 이쑤시개를 황당한 듯이 쳐다보았다. 그리고 그 아래 비장한 얼굴로 서 있는 초록 늙은이를 알아보고는 상냥한 웃음을 지었다. 그 웃음에는 약간의 비웃음도 섞여 있었다. 초록 파스텔이 지팡이를 짚고 천천히 앞으로 걸어 나왔다. 다시 돌아온 그의 독수리처럼 날카로운 눈빛에 도구들은 하나 둘씩 그에게 길을 터주었다. 청중의 맨 앞으로 나온 초록 파스텔은 그를 내려다보며 웃는 빨간 파스텔의 눈을 똑바로 쳐다보았다. 그가 말했다.

"자네도 참 끈질기구먼."

빨간 파스텔이 여전히 웃으며 말했다.

"저도 어르신의 끈기에 새삼 놀랐습니다."

초록 파스텔이 물었다.

"내가 나온 이유는 잘 알겠지?"

"짐작이 갑니다만."

잠깐 눈을 위로 뜨며 곰곰이 생각하던 빨간 파스텔은 곧 팔짱을 끼고 손으로 턱을 어루만지며 거만하게 버티고 섰다.

"좋습니다. 한번 말해 보세요."

초록 파스텔은 알게 모르게 가는 숨을 쉬었다. 대놓고 숨을 내뱉으면 자신이 긴장했다는 걸 보여주는 꼴이 되니 내키지 않았다. 그는 이쑤시개 지팡이를 꼭 쥐었다. 짧은 지팡이를 타고 올라오는 차가움이 그것을 꽉 쥔 손바닥으로 전해지자 정신이 바짝 들었다. 몇 번 헛기침을 한 그는 입을 열었다.

"자네는 우리와 개가 같다고 생각하는 것 같은데, 그게 그렇지 않아. 우리는 무생물인 척 살아와 지금도 인간들에게 '움직이지 않는 물건' 이지만, 그 플…… 뭐라 하는 개는 태어날 때부터 자신이 '살아 있는 생물' 이라는 것을 그들에게 꾸준히 보여왔지. 그래서 인간들은 원래 살아 있던 개가 조금 더 영리한 행동을 한다는 것으로는 겁을 먹지 않았던 거야."

초록 파스텔은 침을 한 번 꼴깍 삼키고는 말을 계속했다.

"하지만 과연 우리는 어떨까? 내가 오래 살면서 자네와 같은 생각을 하고 같은 행동을 한 친구들을 많이 보아왔어. 하지만 그들은 그 개와는 완전히 반대되는 취급을 받았네. 움직이지 않을 거라 생각했던 게 갑자기 발작을 하니, 인간들은 그걸 유령이 한 짓이라고 치부하고 두려움의 대상으로 만들어버렸다, 이걸세. 그게 바로 인간들이 말하는 폴터가이스트 현상이야."

여기저기에서 호응하는 소리가 들렸다. 그러나 초록 파스텔은 영 기분이 좋지만은 않았다. 저들이 하는 호응은 그의 의견에 진정 동의해서 내는 소리가 아니라, 그저 저번만 해도 더듬거리기만 했던 노인이 이렇게 말을 잘 할 수 있었다는 것에서 신기함을 느껴 끄덕이는 것 같았다. 그리고 지금 눈앞에 있는 빨간 파스텔이 탄성을 내지르는 모습을 보고 그는 분명히 그럴 것이라고 확신했다.

"오호."

빨간 파스텔은 짧은 탄성을 내지르고는 말없이 초록 파스텔을 내려다보았다. 입은 웃고 있었지만, 눈은 초록 파스텔 못지않은 차가움을 내뿜었다. 그는 갑자기 손가락을 튕기고는 입을 떼었다.

"좋은 의견입니다. 하지만 너무 앞서 간 경향이 있군요. 그 폴터가이스트 현상이라고 불린 그들은 사람들 앞에서 계획도 없이 움직였기 때문에, 덧붙여 발작하듯이 움직여버렸기 때문에 그런 수모를 당한 겁니다. 그들이 어리석었기 때문이에요. 하지만 저는 생각이 다릅니다. 먼저 주인에게 허락을 구한다면, 그 후는 문제가 없을 겁니다. 먼저 상냥하게 말을 걸면 됩니다. '젊은 화가

씨, 저는 사실 움직일 수 있습니다' 하고 말이죠. 그러면 그도 플러피라는 영리한 개의 주인처럼 기뻐할 것이 분명해요. 그럼 그다음은? 우리는 움직이고, 그는 부자가 되는 겁니다."

빨간 파스텔의 말을 듣고 있던 초록 파스텔은 무척 뜨거운 무언가가 뱃속으로 차오르는 느낌을 받았다. 화일까? 아니면 슬픔? 비슷하지만 아니었다. 심장을 갉아먹기 시작하는 그 뜨거운 감정은, 주체할 수 없는 답답함이었다. 빨간 파스텔은 지금 초록 파스텔이 한 말을 전혀 이해하지 못하고 있었다. 초록 파스텔은 감정을 힘껏 억눌렀다. 감정을 터뜨린다면 그는 이 싸움에서 패배하게 되기 때문이었다. 이성적인 방법으로 저 젊은이의 생각을 뒤집어야 했다. 감정이 차츰 가라앉았다.

하지만 빨간 파스텔은 계속해서 오류투성이의 엉터리 주장을 당당하게 나불대고 있었다.

"그런 보수적인 생각만 하다가는 발전할 수가 없다고 제가 말했지 않나요? 우리도 언젠가 개혁을 이루어야 하고, 좀 더 편한 생활을 즐길 수 있어야 합니다. 보수적으로 살다가는 결국 손해만 보면서 살게 된다고요. 그러니 이제 그런 보수주의적인 생각은……."

보수, 보수, 그놈의 보수! 초록 파스텔이 이쑤시개 지팡이로 빨간 파스텔의 가슴팍을 찌르면서 소리쳤다.

"내가 한 말을 뭐로 알아먹은 거냐? 네가 화가 앞에서 춤을 추든 노래를 하든 중요한 게 아니라고. 무생물인 것이 생물처럼 행동하겠다는 멍청한 생각 자체가 마찬가지 발상이라는 거다! 네가 소곤대기만 해도 그 사람이 깜짝 놀라는 건 똑같이 정해진 결과야. 네놈을 부숴버릴 거라고. 그러니까 그런 괴상한 생각은 접어라!"

초록 파스텔은 씩씩대면서 빨간 파스텔을 올려다보았다. 빨간 파스텔이 가슴팍을 찌르는 이쑤시개 지팡이를 밀어냈다. 지팡이로부터 묵직한 힘이 느껴졌다. 빨간 파스텔은 차가운 표정을 짓고 있었다. 눈빛은 날카로웠고, 특유의 미소도 사라졌다. 초록 파스텔은 숨이 막히고 시선이 내려가며 입술이 떨렸다. 초록 파스텔은 슬그머니 고개를 돌렸다. 청중들의 표정이 하나같이 차가웠다. 마치 신에게 대항한 현실주의자를 바라보는 독실한 신도들 같았다. 그는 '네놈들이 믿는 저 신은 사실 악마란 말이야!' 하고 외치고 싶었지만, 결과는 이미 갈라졌다.

그는 싸움에서 졌다.

실패했다.

책상에 홀로 남겨진 늙은이는 문제의 신문 기사만 던져 놓고 숨어버린 소심한 목재 뻐꾸기를 원망했다. 그리고 몰지각하게 냅다 소리를 질러서 도구들 모두에게 '여전히 노망난 늙은이'라는 생각을 심어버린 자기 자신을 굉장히 원망했다.

후우. 초록 파스텔은 참았던 한숨을 몽땅 내쉬었다.

오늘도 달빛이 환하게 그를 비추었다. 그는 눈을 게슴츠레 뜨고 비틀비틀 창가로 걸어갔다. 달이 어두운 방을 밝혔다. 그는 달빛이 어두워진 그의 마음도 밝혀주기를 바랐다. 하지만 달빛이 몸으로 스며드는 그런 신비로운 느낌은 전혀 없었다. 그냥 눈이 부셨다. 늙은이는 창틀에 앉아 달빛을 등졌다. 달빛은 오히려 차가웠다. 냉랭한 그것이 창문을 통과해 그의 왜소한 등을 찔렀다. 따가웠다. 모든 도구들이 그를 차가운 시선으로 노려보았을 때처럼 아렸다. 달빛도 그를 싫어하는 걸까? 그는 고통을 참을 수 없어 창틀에서 뛰어내렸다. 몸이 곤두박질쳤다. 몸에서 조각 몇 개가 떨어져 나갔다.

"젠장, 젠장, 젠장, 젠장."

짜리몽땅한 늙은이는 책상 가장자리에 쓰러져서 어두운 천장을 올려다보며 정말 노망이 든 것처럼 욕을 해댔다.

소외

"예끼, 이놈들이?"

초록 파스텔은 상자를 찌그러뜨리며 노는 꼬마 지우개들에게 호통을 치고 있었다. 하지만 그가 힘껏 목소리를 쥐어짜내도 꼬마들은 심술궂게 웃을 뿐 좀처럼 자리를 벗어나지 않았다. 아이들은 결국 초록 파스텔에게 엉덩이를 맵게 맞고서야 상자 찌그러뜨리는 것을 포기하고 달아났다.

초록 파스텔에게 대드는 젊은이들이 부쩍 늘었다. 그의 호통은 더 이상 그들에게 먹히지 않았다. 아무리 날카롭게 노려보더라도 돌아오는 것은 '노망난 늙은이' 라는 기분 나쁜 소문이었다. 그가 가까이 오면 아예 대놓고 어깨를 들이미는 이들도 있었다. 한때 카리스마 있는 파스텔이었던 그가 이제는 모든 도구들에게 왕따 취급 받는 늙은이로 전락해버린 것이었다. 그는 찌그러진 상자 위에 걸터앉았다. 그러자 한 젊은 연필 무리가 지나가면서 쑥덕댔다.

"저 늙은이, 이제는 노망 나다 못해 자기 집까지 눌러 찌그러뜨리는군."

"뭐라고!"

"뭐라고? 에, 무어라고?"

초록 파스텔이 분노에 차 소리쳤지만 젊은 연필들은 그의 말을 되씹으며 비아냥거렸다. 킥킥 웃어대는 그들을 보며 초록 파스텔은 드디어 한계에 다다랐다. 그는 벌떡 일어서서 무리 중 한 연필의 정강이를 힘껏 걷어찼다. 정강이를 얻어맞은 연필이 무어라 욕을 하기도 전에 초록 파스텔이 호통을 치며 덤벼들었다. 젊은 연필 무리는 무시무시한 표정으로 들이박는 그를 보더니 비명을 지르며 도망쳤다.

"젠장, 젠장……."

초록 파스텔은 거친 숨을 골랐다. 몸이 훨씬 약해졌다. 이제는 지팡이마저 제대로 잡지 못할 정도였다. 말솜씨가 부족하면 힘이라도 좋아야 하거늘……. 쏟아내는 육두문자와 함께 눈물이 흘러나왔다. 그는 재빠르게 눈을 비비며 눈물을 닦아냈다. 하지만 눈물은 그칠 줄 몰랐다. 꼭지 튼 수도처럼 쏟아져 나오는 뜨거운 액체는 곧 그의 얼굴 전체를 흠뻑 적셨다. 그는 한 손으로 얼굴을 덮은 채 상자 속으로 들어갔다. 여기에 있으면 그 누구와도 마주치지 않으리라. 초록 파스텔은 그 안에 웅크리고 앉아 소리 없이 울었다.

'왜 나는 이것밖에 되지 않을까? 이제 누구도 내 말을 들어주지 않는다. 경멸하면 경멸했지, 절대 귀 기울여주지 않는다. 대체 왜? 아무리 말투가 격해도, 늙은이가 하는 말이 새파란 젊은이가 하는 말보다 지혜롭다는 것은 변하지 않는 진실이거늘 왜 그 진실을 거스르려 하느냐. 내가 지혜롭지 않아 보이는 걸까? 항상 거친 말을 해서?'

초록 파스텔은 소리가 새어나오는 것을 막을 수 없었다. 그는 새어나오던 걸걸한 울음소리를 결국 끝까지 숨기지 못하고 터뜨렸다. 그것도 안에 있는 모두에게 들릴 정도로 크게. 그의 울음소리를 들은 누군가가 말했다. 얄팍하고 능글맞은 목소리였다.

"시대에 뒤떨어진 늙은이는 배척당하는 법이지. 쯧쯧."

그러자 굉장히 굵은 목소리가 웃음을 터뜨렸다. 얄팍한 목소리가 입을 열었다. 비웃음기가 확실히 드러나는 말투였다.

"저 늙은이는 알까? 우리가 내일 그 일을 할 거라는 거 말이야."

"아, 그거? 모를 거다."

초록 파스텔이 들으라는 듯 큼직하게 말하던 두 목소리는 킬킬거리며 웃었다. 굵은 목소리가 말했다.

"빨간 파스텔의 말이 백 번 옳아. 그게 우리에게나 주인에게나 더 나은 길이라고."

"맞아. 내일이 되면 증명할 수 있겠지."

다시 킬킬거리는 웃음소리가 들렸다. 초록 파스텔은 아무 말도 하지 않았다. 욕을 듣고 있자니 울음이 점점 그쳤다. 슬픈 감정을 대신해 다시 화가 치밀었다. 그는 자리에서 조용히 일어섰다. 그리고 발소리를 죽여 두 목소리가 들리는 쪽으로 한 걸음, 한 걸음 나아갔다. 웃음소리가 어느 정도 가까워지자 그는 괴성을 지르며 그쪽으로 주먹을 휘둘렀다. 퍽, 하는 소리가 들리고 이어서 누군가 앓는 소리를 냈다. 아마 얄팍한 목소리 같았다. 초록 파스텔은 멈추지 않고 계속 주먹질을 해댔다. 한 대를 맞은 얄팍한 목소리는 늙은이의 주먹을 고스란히 몸으로 받아냈다. 그리고 맥없이 쓰러졌다.

"이 노망난 늙은이가?"

굵은 목소리를 가진 이가 주먹을 휘두르던 초록 파스텔의 옆

구리를 때렸다. 얼얼한 고통이 초록 파스텔의 허리를 갉아먹었다. 초록 파스텔은 그 위에 엎어지면서도 계속 주먹을 휘둘렀다. 굵은 목소리는 엎어진 초록 파스텔을 발로 걷어찼다. 하지만 초록 파스텔은 끈질기게 달라붙었다.

그때 굵은 목소리가 그의 머리를 세게 걷어찼다. 울음을 터뜨리듯이 포효하던 초록 파스텔은 발에 머리를 맞자마자 옆으로 날아갔다. 그리고 힘없이 쓰러졌다. 그 틈을 타 굵은 목소리는 동료를 업고 재빠르게 상자 밖으로 뛰어나갔다. 순식간에 상자는 다시 조용해졌고, 쓰러진 초록 파스텔만이 덩그러니 남아 있었다.

이제는 울음소리도 나지 않았다.

죽음

"웩, 웩!"

초록 파스텔은 헛구역질을 하면서 깨어났다. 조금만 움직여도 눈앞이 어질어질했고 금방이라도 쓰러질 것 같았다. 그는 가만히 엎드렸다. 어쩌면 이대로 죽는 편이 낫겠다고 생각했다. 그러면 더 이상 이 세상에서 소외받지 않을 수 있을 테니까. 죽어서는 걱정 없이 좀 편하게 살 수 있을 테니까.

하지만 그는 머릿속에 갑자기 생각난 무엇 때문에 죽을 수 없었다. 그가 이렇게 망가지기 직전 들었던 이야기가 머릿속에 남아 있었다. 얄팍한 목소리가 했던 말, 그 말이. '그나저나 저 늙은이는 알까? 우리가 내일 그 일을 할 거라는 걸 말이야.'

그 일이라는 게 무얼까? 설마…….

상자 안도 바깥도 모두 쥐 죽은 듯이 조용했다. 그는 어지러운 눈을 억지로 굴렸다. 눈이 어둠에 적응했고, 앞이 보였다. 상자 안은 텅 비어 있었다. 그는 비틀거리면서 몸을 일으켰다. 그리고 벽면을 잡고 걸으면서 겨우겨우 상자의 열린 틈을 찾아냈다. 그는 조심스럽게 틈새에 눈을 대어보았다. 언제나 보던 달빛과는 차원이 다른 환한 빛이 비치고 있었다. 초록 파스텔은 환한 빛에 깜짝 놀라 눈을 꼭 감았다.

햇빛이었다. 지금은 밤이 아닌 낮이었다. 낮인데도 상자가 비어 있다, 그런데 바깥은 조용하다. 무슨 생각이 든 건지 그는 몸을 그 틈새로 밀어 넣었다. 그리고 몸부림쳤다. 몸이 조금씩 앞으로 밀려 나오더니, 곧 그는 바깥으로 기어 나올 수 있었다. 그는 비로소 바깥의 모습을 볼 수 있었다.

처참했다. 모두가 죽어 있었다. 그의 앞으로 두 동강이 난 도구들이 행렬을 이루고 있었다. 파스텔, 유화 물감, 붓, 그리고 캔버스 천……. 수도 없이 많았다. 그들 각각이 내는 퀴퀴한 냄새가 섞여 초록 파스텔의 정신을 아찔하게 만들었다. 초록 파스텔은 자리에 멍하니 서 있었다.

그는 한참을 그렇게 서 있다가 한 걸음을 떼었다. 그리고 한 걸음을 떼었다. 비틀거리며 힘겹게 걸음을 내딛는 그의 시선은 바닥에 있었다. 그 모습이 누군가를 찾는 것 같았다. 그는 시신들의 행렬을 따라 천천히 걸었다. 지우개 꼬마들은 목과 몸이 동강 나 있었고, 연필 사내들은 징그럽게 으스러져 있었다. 하지만 초록 파스텔은 그들을 무시한 채 건너고 건넜다. 얼마나 걸었을까, 그는 창가 부근에 다다랐다. 햇빛이 비치는 곳 어딘가에서 붉은 빛이 반사되어 보였다. 초록 파스텔은 급하게 그쪽으로 방향을 틀었다. 그러다 자기 발을 밟고 픽 쓰러졌다.

윽. 그는 짧게 신음하더니 끈질기게도 기어가기 시작했다. 속도가 현저히 느렸다. 눈을 감았다가는 그대로 영원히 깨지 못할 것 같았다. 하지만 그는 혼신의 힘을 다해 기었다. 온갖 도구들의 사체를 비집고 가는 사이 그의 눈에 드디어 찾던 이가 보였다.

"이놈……."

초록 파스텔은 빨간 파스텔의 옆으로 쓰러졌다. 빨간 파스텔의 윤기 나는 긴 몸은 여기저기 부서지고 으깨져서 흉측하게 변해 있었다. 하지만 그는 신경 쓰지 않았다.

"내가 말하지 않았느냐. 내팽개쳐지거나 절단이 나거나, 둘 중 하나라고. 왜, 왜 내 말을 듣지 않은 게야?"

초록 파스텔의 목소리는 자신에게도 겨우 들릴 정도로 작았다. 그러나 초록 파스텔은 계속해서 중얼거렸다.

"자네 때문에 나도, 다른 이들도 모두, 몰락하는구려. 내가, 보수적이라고? 아니, 절대 그렇지 않네. 오히려 자네가, 너무, 무모한 거였어."

숨은 거칠어졌고 말도 느려졌다. 초록 파스텔은 눈을 감았다. 따뜻한 햇볕이 몸을 감싸고 돌았다. 그는 그 따스함을 한껏 느꼈고—

"우리는 도구로서의 본분을 다해야 했고, 그건 섭리였네. 내 말이 옳았어, 옳았……."

입이 멈추었다.

오전 열한 시. 환한 햇빛이 창문을 투과해 화가의 작업실을 비추었다. 초록 파스텔의 먼지 묻은 몸뚱이는 으스러진 빨간 파스텔의 옆으로 미동 없이 걸쳐 있었다.

"흐음."

햇빛은 그림자를 밀어내며 천천히, 그리고 조심스럽게 그들을 쓰셔보았다. 그들은 반응하지 않았다. 햇빛은 죽은 두 파스텔을 내려다보면서 중얼거렸다.

'달빛 그놈은 항상 괴상한 짓만 골라서 부추긴다니까. 어찌 되었든 둘에게는 미안하게 되었군. 달빛은 교육을 좀 시켜 놓아야겠어. 물론 따라잡는 게 우선이지만.'

해가 정오를 향해 꾸준히 움직였기 때문에 햇빛은 점점 짧아졌다. 그때 누군가 밖에서 문을 두들기는 소리가 들렸다. 아니, 두드리는 정도의 소리가 아니었다. 너무 시끄러웠고, 소리가 나는 시간 차가 컸다. 망치가 못을 치는 소리였다.

햇빛은 생각했다.

'화가가 작업실 문을 막아버리고 있군. 그럴 만도 하지. 항상 가만 있던 물건이 갑자기 발작을 해대었으니 말이야.'

해는 정오를 향해 꾸준히 올라가고 있었다. 한 시간도 채 남지 않았기 때문에 창문을 통과하는 햇빛의 길이도 차츰 짧아지고 있었다. 햇빛은 방 안을 슬슬 떠나는 자신의 몸을 바라보며 눈을 감았다. 그리고 한숨을 쉬었다.

"자업자득이지 뭐."

못을 박는 소리가 그쳤다. 이후로 방은 쥐 죽은 듯이 조용했고, 햇빛도 완전히 자리를 떴다. 그림자만이 화가의 작업실이었던 방을 채우고 있었다.

I 아이덴티티

전성현

1.

자꾸만 연필을 깎는 손이 엇나간다. 내 의지대로 힘 조절이 잘 되지 않는 탓이다. 슬슬 칼을 밀어 톱밥이 부슬부슬 밀려 떨어지고, 연필심 끝이 뾰족해질 무렵이면 어김없이 툭툭 부러져 나가곤 했다. 일종의 나 자신과의 싸움에서 패배한 나는 연필 깎기를 멈추고는 손을 쥐었다 폈다 해본다. 겉보기에는 무척이나 부드럽게 진짜 손처럼 손가락을 오므렸다 폈다 하지만 사실은 기계로 된 의수(義手), 즉 가짜일 뿐이다.

"거, 왜 잘 깎이지도 않는 연필하고 씨름을 하고 그러나?"

옆에서 책상 위에 설치된 터치식 스크린 보드를 이리저리 굴리던 톰이 힐끗 쳐다보며 물었다. 그러고는 애초부터 대답을 듣기 위한 질문이 아니었던지 다시 시선을 스크린 보드 위에 끌어두고 계속 무언가를 터치하고 또 터치했다. 연필을 깎는 나에게 마치 보란 듯이 디지털화된 문명의 산물을 만지작거리며 넌지시 묻는 상황이 상당히 대조적이었다. 나는 끝이 불규칙하게 부러진 채 책상 위에서 이리저리 굴러다니는 몇 자루의 연필을 지그시 내려다보았다.

나는 내심 일이 손에 잡히지 않거나 복잡한 생각이 많을 때, 혹은 불안할 때 연필을 무심히 몇 자루고 깎는 버릇이 있었다. 21세기 네트워크 사회에서 이런 아날로그적인 도구를 만지작거리며 위안을 얻는다는 것은, 어쩌면 이유를 알 수 없는 나의 마지막 남은 자존심, 혹은 급변하는 세계에서 여유를 찾고 싶었던 나만의 방법이었을지도 모른다.

나는 언제나 세상을 살아가면서 지금보다는 과거를, 그리고 옛것을 고집했다. 비록 사고로 몸을 '전신 의체화' 했지만, 그전까지만 해도 누구나 성년이 되면 한다는 '부분 의체화' 조차 고집스럽게 거부하던 나였다. 빠르고 정확하며, 혹 사고로 심각한 부상을 입어도 간단히 부품을 교체하기만 하면 되는, 생물학적 신체보다 부족할 것 없는 의체를 거부하고 살아왔던 나는 문명도시 속의 원주민 같은 존재였지만, 나는 그것을 인간 가치 속의 미학이라 여기며 나름대로의 만족을 가지고 살아왔다. 하지만 변화는 내가 사고를 당하고 난 후부터 시작되었다.

한 달 전 당한 심각한 교통사고로 머리 아래로는 완벽한 불구가 될 수밖에 없다는 진단을 내렸던 의사는 그런 진단을 내리면서도 생각보다 심각한 얼굴은 아니었다. 그리고 그는 나에게 전신 의체화를 권유했다. 꺼림칙했다. 자신의 의지조차 데이터화하여 4진법의 숫자로 대체하는 전뇌화는 내 생물학적 몸을 버린 채 자신을 좁고 차갑고 거짓된, 내 형상을 한 모형에 가두어 놓는 느낌이었다.

그러나 이제 예전처럼 살 수 없었다. 전신 의체화를 감행한 나는 뇌를 포함한 모든 것이 기계로 대체되었다. 인간의 피부를 덧씌운 채 이전의 나와 똑같은 형상을 하고 있지만, 내 몸은 갖가지 기계 장치로 가득 찬 태엽 인형에 불과한 것이다.

"아직 적응이 덜 되었나 보지? 하기야 근 삼십 년을 기계에 의존하지 않고 살아왔으니 어색할 법도 하겠지."

어느새 스크린 보드를 만지작거리던 톰이 작업을 마쳤는지 허공에서 손끝을 오른쪽으로 휘저으며 파일을 끌어당겨 전송하고는 내 맞은편 의자로 다가와 털썩 앉았다.

"아직 불편한 게 많네요. 보시다시피 연필 깎는 거 하나 가지고 이렇게 씨름하고 있으니 말이죠."

"이전과 뭔가 달라진 느낌이 곧 들 거야. 내가 간혹 내가 아니란 느낌이 들 때가 있단 말이야. 빠르고, 정확하고, 늙어서 병들 걱정은 없지."

내가 내가 아니다? 확실히 그런 생각은 간혹 들곤 했다. 그러나 톰이 말한 그런 경우와는 조금 다른 경우였다. 의체화를 감행한 이후 한번씩 무언가를 집어야겠다, 뛰어야겠다, 팔을 휘저어야겠다는 의식을 했지만 내 몸이 어긋날 때, 나는 무언가 알 수 없는 의지에 의해 끌려간다는 느낌이 들곤 했다. 내 몸이 내 것이 아닌 느낌. 그것은 적잖은 불안감과 불편함을 동반했다.

"이제 그만 가봐야겠어요."

"어딜, 병원에? 아직 재활 치료 받나?"

"아니요, 집에 가야죠. 기획서는 집에 가서 읽어볼게요. 녹센 거리에 새로 지어지는 시청 건물의 인테리어 기획서도 수정했으니 문제될 건 없겠죠? 퇴근 시간도 막 넘었네요."

"뭐, 그래. 그나저나 새로 올라가는 그 청사 건물, 되게 크게 공사를 벌이더만. 몇 층이었지?"

나는 주섬주섬 가방을 집어 올리고, 흐트러진 넥타이를 빠져 보이지 않게 대충 바로 잡은 뒤 말을 이어 받았다.

"92층이요. 좋은 오후 되길!"

2.

집에 돌아온 나는 얼른 넥타이를 한 손으로 당겨 풀어버리고는 보지도 않고 아무렇게나 내던져버렸다. 넥타이가 반쯤 나풀거리며 소파 옆으로 주르륵 미끄러져 바닥으로 떨어졌다. 양복과 셔츠도 아무렇게나 훌훌 털어버렸다. 모든 것을 전력에 의존하다 보니 힘들다거나 지친다는 육체적 개념 또한 사라졌지만, 나는 그런 상황 속에서도 무의식적으로 여느 때와 달리 한숨을 지었다. 그러나 이내 그것이 힘들어서가 아니라 습관이라는 것을 느끼고는 나도 모르게 피식 웃고 말았다.

소파에 털썩 앉아서는 여느 때와 같이 TV 스크린을 켰다. TV에서는 나로서는 흥미를 느끼지 못하는, 말장난 같은 코미디 프로그램이나 형식적이기 짝이 없는 뉴스가 나올 뿐이었다.

집에 돌아온 지 시간이 꽤 지났음에도, 그리고 전뇌화를 하였음에도, 여전히 그전과 같은 굴레를 벗어나지 못하는 평범한 순환을 지속하며, 이런저런 것을 해보다 결국 모든 것에 흥미를 오래 두지 못한 채 무엇을 하며 시간을 보낼까 고민하던 나는, 이왕이면 전뇌화된 몸의 장점을 좀 더 누리기로 결정했다.

전뇌의 가장 큰 장점이라면, 네트워크의 서핑(Surfing)에서 이제는 다이브(Dive)가 가능해졌다는 점이다. 기존의 컴퓨터를 이용한 네트워크로의 정보 검색, 즉 표면적인 정보 탐색이 서핑이었다면, 전뇌화를 통해 실체감과 공간을 가진 가상 현실, 그곳으로 전뇌 ID를 접속시키는 다이브를 통해 좀 더 폭 넓고 현실적인 네트워크의 이용이 가능해졌다.

부엌 식탁 위에 잡동사니와 함께 아무렇게나 널브러진 플러그를 가지고 와서는 다시금 TV 앞의 소파에 풀썩 앉았다. 그리고 그것을 중계기와 연결한 후 나와 연결하기 위해 반대 방향 플러그를 빼들었다. 목 뒤의 동그랗고 조그마한 구멍에 연결 장치를 삽입하자 순간 현기증이 오는 것과 같은 느낌이 나를 덮쳐왔다. 무언가 무겁고 검은 것이 내 머리와 시각과 모든 감각을 순간 단절시켰다.

"반갑습니다. '허먼 로글러' 씨. 즐거운 시간이 되기를!"

내 이름에서만 딱딱 끊겨 읽히는 인공적인 여성의 인사말이 내 전뇌를 통해 발산되어 그것은 다시 청각 신경을 흥분시키고, 전뇌로 다시금 되돌아오며 내 머릿속에서 울려퍼진다. 그리고 밝아진 또 다른 세상에는, 세상이 공간성을 상실한 것처럼 수평선의 경계조차 없이 끝없이 둘러져 있었다.

이내 내 시야에 들어온 것은 그런 백색의 세계와는 대조적으로 알록달록하게 꾸며진 다양한 색감의, 그리고 다양한 모양과 개성을 가진 일종의 블록과도 같은 정보의 집합체들이었다. 그것은 위에서 아래로 끝도 없이, 마치 바빌론의 탑처럼 나를 위엄있게 내려다보는 듯 자리하고 있었다. 그리고 그것을 주축으로 하여 주위에는 수많은 섬들과도 같은 단일 개체의 정보 집합들이 표류하듯 군집을 이루고 있었다. 그 주위를 마치 물고기떼처럼 돌고 있는 것은, 타인들의 수도 없이 많은 아바타였다. 나 역시도 그러한 무리 속으로 몸을 이끌어 나갔다.

사람들의 육체를 대신한 아바타들은 그 어느 누구도 상대방을 둘러보지 않았다. 모두들 어디론가 제 갈 길을 가고, 제 볼일을 보고 있을 뿐이었다. 자신의 목적과 볼일에 불필요하다면 결코 어느 누구에게도 눈길을 주지도, 말을 걸지도 않았다. 서로간에 시답잖은 채팅, 즉 잡담을 하고 있는 작은 무리들도 결국에는 그들만의 그룹을 이룬 채 폐쇄적인 대화만을 이어나가고 있을 뿐이었다.

나는 그런 사람들을 죽 지나치며, 어디를 둘러볼까 고민하며 각 블록의 이름들을 훑어보았다. 각각의 블록은 그 블록, 즉 홈페이지의 개성을 잘 나타내는 디자인을 가진 채 알록달록하게 탑들을 꾸미고 있었다. 전통적인 옛 가옥의 모습을 한 블록에는 '민속자료연구회', 언뜻 보기에도 화사해 보이는 작은 꽃들을 여기저기 달고 있는 블록에는 '환경보존단체-그리니 월드', 깔끔하고 현대적으로 보이는 사무적인 블록에는 '국토안보부', 그리고 아파트같이 다닥다닥 붙어 있는 수많은 블록층은 각각의 이름들이 쓰여진 개인 홈페이지들.

나는 그러한 블록들을 천천히 둘러보며 무엇을 해볼까, 어떤 블록으로 들어가볼까 고민하기 시작했다. 나는 무작정 거대한 블록의 탑 사이를 파고들어가 골목길을 따라 무작정 표류하듯 떠다녔다. 어떠한 블록이 좋을까. 수많은 블록들을 지나치면서도 어떤 블록으로 들어갈지 내심 고민하며 끝이 보이지 않는 골목을 무작정 따라 돌 때, 내 눈에 띈 것은 아무도 관심을 가지지 않을 법한, 어떠한 디자인조차 되어 있지 않은, 즉 폐가와도 같은 하얀 블록 하나였다. 어떠한 제목이나 디자인도 없고, 오히려 그렇기 때문에 그 존재가 유난히 눈에 띄어 보이는 그 블록은 나의 호기심을 사로잡았다.

떠다니던 몸을 다시 제어하고 그 블록 앞에 멈추어 서서는 한 걸음 한 걸음 들어가기 시작했다. 아무런 인기척도, 아무런 불빛도 없는 그 블록은 시끌벅적하고 다채로운 색감과 디자인의 다른 블록과는 대조적으로 어두컴컴하고 차갑기 그지없었다.

"아무도 없습니까? 저기요?"

어둠 속을 향해 조금은 조심스럽게 불러보지만 아무도 대답하지 않는다. 그리고 한 발짝을 더 떼는 순간, 시야에 반투명한 알림창이 뜬다. 무언가가 다운로드되고 있다. 알림 창은 '알림' 이라는 기능에 맞지 않게, 제멋대로 다운로드되고 있는 무언가의 정확한 명칭도 알리지 않은 채 나에게 그저 통보만을 해오고 있었다. 어쨌거나— 이것은 무엇인가? 뭘 다운받고 있는 것이지? 그 순간, 붉은 보안 방화벽이 다운로드 창을 차단하기 위해 접근했다가 순식간에 튕겨버렸다. 마치 서로간의 역할이 뒤바뀐 채 바이러스 취급을 받는 양 너무나 간단히도 차단된 보안 방화벽. 그렇다면 이것은 단순한 무언가를 다운로드하는 것이 아니다. 보안창마저 역으로 차단해버리는 이것은, 겉으로 보기에도 아주 수준이 높고 위험하기 짝이 없는 것이다.

"뭐야, 이거? 바이러스야? 이런!"

어떻게 중단할 수는 없나? 재수 없게 일이 꼬이다니. 하기야 이런 분위기의 블록인데, 애초에 뭐 하나 정상적일 리가 없었다. 막대그래프는 나의 의지를 무시한 채 계속해서 백 퍼센트를 향해 거침없이 달리고 있었고, 나는 어쩔 줄을 모르며 당황한 채 중단하기 위해 허둥지둥댔지만 결과적으로는 막을 수 없었다.

그렇다면, 이미 다운이 끝마쳐진 이 상황에서 결국 확인해야 할 것은 이것이 어떠한 영향을 주었느냐였다. 나는 마치 독극물이라도 주입 받은 모르모트마냥 발작적으로 내 온몸을 더듬기 시작했다. 머리부터 눈, 코, 입, 목, 양쪽 어깨와 가슴……. 아무런 문제는 발견되지 않았다. 아니면, 첩보 영화에서 보았던 것처럼 몸속에 일종의 바이러스 같은 것을 이용한 시한폭탄이라도 심어 놓은 것인가? 그것도 아니라면, 몇 초 후면 좀비처럼 감염되어 나 자신조차 지각하지 못하고 미친 사람처럼 변해버리는 걸까? 정상적인 사고에서라면 터무니없다고 여길 영화 속의 설정조차 마구 생각하며 그 어떠한 가능성이든지 모두 떠올렸다. 하지만 왜 몸에는, 내 사고에는 어떠한 변화조차 없는 거지? 대체 뭘 다운받은 거야?

"침착해……. 그래, 딱 십 초, 십 초만 세어보자. 그리고 아무 일도 없다면 아무 문제 없는 거야. 누군가의 장난이나 그런 거겠지. 그래, 딱 십 초……."

나는 나름대로의 억지 결론을 간단히 내리고는 십 초를 조금은 조급하게, 그러면서도 작은 혼잣말로, 눈을 감고 하나하나 세어나가기 시작했다. 십 초, 구 초, 팔 초……. 그리고 마침내 일 초마저 가버리고 카운트다운이 끝나자 나는 아무런 변화가 없길 바라며 감았던 눈을 아주 조심스럽게 뜨기 시작했다.

좋아, 내 이름은 무엇이었지? 허먼, 내 직장은? 닉시인테리어. 됐어. 머리는 문제 없는 것 같다. 그렇다면 내 아바타는 멀쩡한 걸까? 나는 내 손을 번갈아 보고, 그러고는 그 손으로 온몸을 다시금 더듬어보았다. 역시 문제 없다. 그래, 아무 문제 없는 거야. 빌어먹을. 역시 전뇌화니, 네트워크니, 뭐니 하는 건 역시나 믿을 수 없는 것이었다. 나는 한 치의 망설임도 없이 그 자리에서 바로 다이브를 꺼버렸다.

3.

어제의 일로 밤잠을 꽤나 설쳤던 나는, 그럼에도 불구하고 회사는 가야 했기 때문에 주섬주섬 출근 준비를 하고는 집을 나섰다. 인테리어 기획서야 집에서 작성해서 보내도 되는지라 굳이 사무실까지 갈 필요도 없었지만, 그래도 뭐라도 하지 않으면 어제의 잡다한 생각으로 불안해서라도 뭔가 일거리가 필요했기에 굳이 회사까지 가서 기획서를 마무리 짓기로 했던 참이었다.

집을 나서자 아직은 걷히지 않은 새벽의 안개가 도시를 빠져나갈 생각을 않는다. 오늘 하루는 계속 이런 날씨일지 햇빛조차 구름에 거의 가려 모습이 통 보이지를 않는다. 차라리 비라도 왔으면 좋으련만, 이도 저도 아닌 날씨가 이어질 것만 같다. 우중충한 날씨에 내 기분마저 사그라지니, 살과 살이 맞닿아 지옥을 방불케 하는 지하철보다는 시간이 널널한 때를 이용해 한번쯤 걸어가는 것도 나쁘지 않을 것 같았다.

항상 지하를 통해 도시를 누볐다면, 이번에는 그 지하철 위를 밟고 서서 직접 도시를 누비는 지금은 모든 것이 꽤나 색달랐다. 색다른 사람들과 색다른 건물들과 색다른 풍경, 색다른 장소들. 그런 것들을 구경하고 있자니, 러시아워를 돌파하기 위해 매일 애쓰기보다는 이렇게 걸어보는 것도 나쁘지는 않을 것 같다는 느낌이 들었다. 그렇게 사람과 거리, 거리와 사람들을 번갈아 구경하며 걷다가 문득 회사에 다 왔다는 생각으로 건물의 입구를 올려다본 그곳에는, 내가 알지 못하는 전혀 다른 회사의 상호명이 붙어 있었다.

'이웨즈중공업'

이웨즈중공업? 들어본 적도 없는 회사다. 보나마나 작은 중소기업이겠지. 그런데, 내가 왜 이 앞에 서 있는 거지? 내가 이 회사에 무슨 볼일이 있었나? 분명 내가 출근할 회사, 그러니까 닉시인테리어의 사무실 건물 입구라고 생각하고 올려다본 건물에는 전혀 다른 회사의 상호명이 붙어 있었다. 뭐에 홀린 것처럼, 전혀 다른 회사의 입구를 찾아와서는 마치 자기가 늘 출근해왔던 회사이었던 것마냥 들어가려 했던 것이다.

나는 그저 밤잠을 설친 탓이라고 생각하고는 되돌아 '닉시인테리어' 를 향해 다시 발걸음을 옮기기 시작했다. 건물에 들어서기 전, 회사 상호명을 확인하고는 '닉시인테리어' 의 상호가 확실하게 붙어 있음을 상기하고는 사무실로 들어섰다. 그곳에는 톰이 언제나처럼 작업 준비를 하기 위해 스크린 보드를 점등하고는 머그컵을 들고 홀짝거리고 있었다. 그는 막 들어오는 나를 보고는 다소 의외라는 듯 양 눈썹을 치켜올렸다.

"오, 좋은 아침. 굳이 안 와도 되는데 왔군."

"저도 좋은 아침."

"표정을 보니 자네에게는 좋은 아침이 아닌 것 같은데? 오늘따라 유난히 지하철 러시아워가 독했나?"

"아뇨, 오늘은 그냥 걸어왔어요. 그냥, 좀 이상한 일이 있긴 있었죠."

"이상한 일?"

톰이 머그컵에 담긴 커피를 한 모금 홀짝거리고는 책상 위에서 무언가를 쥐고 와서는 의자에 털썩 주저앉았다.

"분명 회사에 출근하겠다고 길을 나섰는데, 정작 내 회사라고 도착한 곳은 이름도 들어본 적 없는 전혀 모르는 곳이었어요. 뭔가에 홀렸다랄까."

"그래? 요즘 좀 피곤한 거 아니야? 사실 나도 요즘 철야로 피곤한데 말이야. 거창하게 '닉시인테리어' 라고 회사 이름을 달아놓기는 했지만, 기껏해야 사람은 이렇게 두 명이고. 덕분에 철야를 벗어날 일이 없단 말이야. 일도 손에 잘 안 잡혀."

"그래요? 잠깐, 톰. 그거 연필 아니에요? 지금 연필 깎고 있는 거예요?"

톰은 나의 말을 듣고서는 그제야 자신의 두 손을 내려다보았다. 그는 커터 칼을 손으로 쥐고는 연필을 깎고 있었다. 부슬부슬 떨어진 흑연과 톱밥이 책상 한켠을 어지럽히고 있었다.

"어? 뭐야, 정말이군. 자네한테 버릇이 옮았나? 나도 모르게 깎고 있었네."

그는 얼떨떨해 하며 손에 쥐고 있던 칼과 연필을 책상에 내려놓고는, 언제나처럼 스크린 보드를 향해 천천히 몸을 일으켜 움직였다. 그는 그러한 이상 행동을 크게 개의치 않는 듯했다. 이상 행동? 하기야 이상 행동이라는 것도 나에게만 해당되는 것이었다. 나는 자연스럽게 톰이 앉아 있던 자리로 옮겨 앉아, 그가 남긴 연필을 마저 깎기 시작했다.

나는 그 순간부터, 이 모든 것이 단순한 우연은 아님을 짐작했다. 그리고 만약 그것이 인위적이라면, 그것은 필시 어젯밤의 일 때문일 것이라고 확신했다. 나는 전혀 알지도 못하는 회사에 출근하려 하였고, 톰은 나의 습관을 마치 자신의 오랜 습관이었던 것처럼 자연스럽게 했다. 옛것을 신뢰하는 내가 아닌, 오히려 문명의 혜택을 신봉하는 그에게서 우연한 실수로 나올 행동은 아니다. 마치 나와 상대 간의 경계가 허물어져, 서로간의 정체성에 대한 구분이 없어지는 이 느낌.

혹 그렇다면, 내가 출근하려 했던 그 회사도 사실은 이름 모를 누군가가 출근하는 직장이라는 것인가? 그렇다면 결론적으로 이러한 현상은 타인과 나의 기억이 서로간에 공유되거나 혹은 뒤바뀌었기 때문이라는 건가?

생각이 거기까지 닿았을 때, 연필을 한 꺼풀 깎아내기 위해 엄지에 힘을 주고 밀었던 커터 칼은 갑작스럽게도 그 대상을 찾지 못하고 허공으로 툭 떨어졌다. 그것이 나의 생각을 중단시켰다. 내려다본 연필은, 여지없이 연필심이 부러져나가 뭉툭하게 변해 있었다. 나는 시선을 돌려, 내가 여태껏 유추한 추리의 확신을 위해 톰에게 넌지시 물었다.

"톰, 혹시 말인데, 서로간의 기억을 뒤바꿀 수도 있나요?"

"기억? 충분히 가능하지. 전뇌화를 했다면 모든 것이 4진법으로 구성되어 데이터화되기 때문에 데이터화된 기억을 그냥 바꿔치기 하면 되는 거야. 하지만 뇌를 구성하는 생체 데이터는 일반적인 데이터보다 훨씬 복잡한 데다가 자체적인 보안까지 걸려 있어서 바꿔치기도 힘들고, 만약에라도 그랬다간 도덕적으로나 법적으로나 매장이라고. 그런데, 갑자기 그런 걸 왜 물어봐?"

"아니, 별거 아니에요."

톰이 다소 의외라는 표정을 지으며 나를 한 번 힐끗 쳐다보더니, 이내 다시 스크린 보드에 집중했다.

그래, 그때 다운받았던 그 무언가는 보통내기가 아니었다. 다이브의 네트워크 보안 방화벽마저 우습게 역으로 차단해버리는 수준을 가진 바이러스라면, 충분히 상호간의 기억을 바꿔치기 하는 것도 가능하다. 나는 서서히 확신하기 시작했다. 내 주위에는 나의 기억을 마치 자신의 기억인 양, 마치 나인 양 행동하는 자들이 충분히 많다는 것을. 그리고 나 역시도 누군가의 행세를 하고 있었을지도 모른다는 것을.

머릿속이 복잡해진다. 나는 모든 것에 대한 추리를 풀어낸 명탐정처럼 원인과 그에 따른 모든 영향에 대해 강한 확신을 가졌다. 하지만 그것은 피하고 싶은 불편한 진실과도 같아서, 그것을 규명하는 것 자체에는 강한 확신을 던졌지만 그것을 받아들이기에는 여전히 불신이 남아 있었다.

약한 두통이 머릿속을 울리기 시작하고, 나는 불쾌한 표정을 지으며 깎은 연필을 가슴팍에 대충 쑤셔 넣고는 자리에서 일어나 사무실을 빠져나간다. 사무실에 출근하자마자 어딘가로 나가는 게 이상하지만, 명분만 있다면 아무래도 상관없다.

"톰, 아침은? 전 아직 안 먹어서 뭐라도 사 와야겠어요."

"아무것도 안 먹었어. 이왕이면 가는 김에 내 것도 하나 사주겠나? 일층 식당은 간단한 아침식사 정도는 포장해주니까."

4.

사무실 건물 일층에 자리한 자그마한 식당은, 말이 식당이지 분위기는 카페 같아, 많은 사람들이 식사 외에도 수다를 떨러 자주 들르는 곳이기도 했다. 그리고 간단한 식사는 테이크아웃 할 수 있어 이 건물에서 직장 생활을 하는 여러 사람들이 자주 이용한다.

"주문은 어떤 걸로 하시겠습니까?"

"피타 샌드위치 하나, 몬테크리스토 하나."

"피타 샌드위치 하나, 몬테크리스토 하나 주문 받았습니다. 그 밖에 필요하신 것 없으세요?"

"아, 혹 점심식사 예약 가능할까요? 1시쯤으로."

"네, 가능합니다. 여기 성함 써주시겠습니까?"

주문을 도와주던 여자의 손길을 따라 시선이 향하다 멈춘 곳은, 예약자들의 이름을 적어 넣는 명부였다. 나는 펜을 들고 이름을 적기 시작한 순간, 무언가 잘못되었다는 느낌이 들었다.

'조셉 던포.'

적다만 이름이 내 이름이 아님을 지각한 순간, 나는 곧장 반사적으로 그 위에 펜으로 줄을 죽죽 그어버리고는 다시 나의 진짜 이름을 써 넣었다. 그것은 자신의 정체성에 대한 지각력을 상실한 채 이름 모를 타인으로 살아갈 수 있다는, 그리고 타인에게 자신의 정체를 빼앗길 수 있다는 무력함에 대한 공포에서 오는 반사행동이었을지 모른다.

예약을 마치자, 주문한 것이 나오기를 기다리며 잠시 식당 안의 풍경을 곁눈질하듯 둘러봤다. 아직 점심시간은 멀었음에도 간단한 아침을 시키고는 수다를 재미있게 떨고 있는 여러 무리의 테이블들이 눈에 들어왔다. 직장 상사가 재수 없다느니 하는 흔히 누구든지 한 번쯤 해보는 직장 생활 이야기, 청사 건물이 새롭게 이전한다느니 하는 이야기, 자신의 어릴 적이 어떠하였다는 추억 이야기. 수많은 주제를 가진 잡담들이 귓속을 맴돈다. 주문한 샌드위치가 나올 것 같아 곁눈질을 멈추고 다시 돌아보려는 순간, 조금씩 들리기 시작하는, 여느 대화와는 다른 무언가가 나를 제지했다.

"요즘도 연필 깎는 습관 못 버렸어?"

"좀 심각하기는 했지. 머리부터 발끝까지 전부 다 의체화를 할 정도였으니까."

"청사 건물의 인테리어 기획서 다음주까지가 마감인 거 알아? 완전 급해 죽겠어."

"오늘 출근하다가 나도 모르게 이상한 대로 출근할 뻔했지 뭐야. 이웨즈중공업이던가?"

대체 이건 무슨 상황이지? 모든 사람들이 나의 행세를 하기 시작한다. 아니, 어쩌면 애초부터 그들이 '나'였을지도 모른다. 나는 무한한 공포를 느끼기 시작했다. 호흡이 가빠지고 머릿속이 하얗게 변하기 시작했다. 더 이상 나의 사고는 두뇌 밸브가 잠겨 그 사고 활동을 멈추었다. 나는 주문한 샌드위치가 나오든지 말든지 뒤도 돌아보지 않고 무작정 식당을 빠져나와 거리를 달리기 시작했다.

나는 내가 맞는 건가? 애초에 '허먼 로글러'라는 이름과 그 정체성은 나의 것이 아닌 이름 모를 타인의 것이었을지도 모른다. 여태껏 내가 그의 행세만을 하고 있었을지도 모른다. 나의 기억과 감정과 추억, 끝내는 정체성마저 타인에게 빼앗기기 시작한 것일까? 아니, 애초부터 내 것이 아니었을지도 모르는 나의 정체성. 이대로라면 내가 가지고 있던 모든 것이 없어진 채 무수한 네트워크 속에서 표류하는 타인의 정보와 기억만을 습득한, 정체를 알 수 없는 타인이 되는 것은 아닐까?

무작정 가게를 뛰쳐나와 달리기 시작한 내가 도착한 곳은 막다른 외진 골목길이었다. 그곳에서 무기력하게 앉아 흐리멍덩한 눈으로 어딘가를 응시하던 노숙자가 내 눈에 들어온 순간, 나의 사고력은 치졸함으로 치닫기 시작했다. 무한한 공포 속에서 나는 마지막으로 확신하고 싶었다. 어쩌면 누군가는 이 상황을 부정해주길 바랬을지도 모른다. 나는 미친 사람처럼 다가가 말했다. 당신의 이름이 뭐냐고. 그는 일순간 당황스러운 표정을 짓더니만, 이내 한결 누그러진 말투로 답했다.

"내 이름 말이오? 사실 노숙 생활하면 이름 같은 건 기억할 필요도 없어서 한번씩 까먹곤 하지. 내 이름이…… 허먼, 허먼 로글러였던가……?"

마지막 확신조차 부정당한 나는 그대로 자리에 주저앉고 말았다. 그리고 그 순간 무언가가 나의 가슴팍을 둔탁하게 찔렀다.

뭉툭하게 끝이 부러진 연필. 나는 순간 깨달았다. 의수에 적응하지 못해 뭉툭하게 깎을 수밖에 없었던 나만의 연필. 그것은 '개성' 이었다.

그 순간, 무언가 몸속에서 전율이 솟구치기 시작했다.

사람이 되라

전성현

1.

LBT669의 전원이 다시 들어오고, 소프트웨어가 재가동되기 시작했다. 검던 시야에 빛이 들어오고, 그것들은 제각기 모양과 색을 구성하며 하나의 풍경이 되기 시작했다. 전원이 얼마 만에 다시 돌아온 것인지는 알 수 없었다. 그가 주위를 훑어보며 상황을 파악하고 있을 때, 그의 시야에 한 소녀가 들어왔다. 이 소녀가 나를 다시금 깨웠을 것이다. 조금은 어려 보이는 소녀는 허리를 반쯤 구부리고는 전원이 들어오기 시작하는 LBT669를 보고 해맑게 웃기 시작했다.

"아, 깨어났다."

"당신이 절 깨우신 건가요?"

"그래. 이름이 뭐야?"

LBT669는 벨파스트 구역에서 쓰러진 이래로 처음 인간과 이야기해보는 것이었다. 소녀가 그에게 이름이 무엇이냐고 물었지만, 사실 그는 딱 잘라 대답하기는 어려웠다. 그에게는 이름이 없었기 때문이다. 애초에 인간이 아닌 서비스로봇이 이름을 가진다는 것 자체가 우스운 일이었다. 혹 이름을 가진다 하여도, 그것은 인간이 애완동물에게 이름을 지어주는 것 그 이상 그 이하도 아닌 행동이었다. 그에게 굳이 이름을 묻는다면, 그는 자신의 모델번호를 이야기할 수밖에 없었다. 그에게는 그것이 곧 이름이었다.

"저는 이웨즈중공업 서비스로봇, 형식번호 LBT669입니다."

"형식번호 말고, 이름은 없어?"

"이름은 인간에게 지어주는 것입니다. 로봇은 인간이 아닙니다."

어디까지나 프로그래밍된 인사일 뿐이었다. 그리고 아무도 그에게 형식번호 이상의 진짜 이름을 묻거나 지어주지 않았다. 그는 공장에서 제조될 때도, 출고될 때도, 어느 가정집에서도, 그리고 이렇게 버려질 때까지 LBT699, 단지 그뿐이었다. 인간의 형상을 하고 있어도 사람처럼 대우받지도 못했다. 기술의 진보에 따른 서비스로봇의 광범위한 보편화는 첨단 기술의 집합체인 그들조차 '상품' 그 이상 그 이하의 존재도 아니었고, 그저 쓰다가 새로운 모델이 나오면 버려지는 일회적인 존재였다.

그러나 소녀는 여느 사람들과는 조금 다른 반응을 보였다. 무엇이 불만스러운지는 몰랐지만, 하여튼 무엇인가 조금은 불만스러운 얼굴을 짓다가 이내 다시금 작은 미소로 되돌아갔다.

"조금 부르기 힘든데…… 이름을 지어주어도 될까?"

"이름을, 말입니까?"

"윌. 어때?"

윌. LBT669에게 이름이 생겼다. 애완동물에게 붙여주는 그러한 것도 아니었고, 제품의 별명도 아니었다. 인간에게 붙여주는 이름, 그 이름이었다. 그것은 LBT669—윌이 상품, 단순히 그 가치 이상의 존재가 되었다는 것을 의미했다. 수많은 LBT669들의 집합체, 나아가 로봇이라는 계층에서 유일하게 윌만이 '윌' 이라는 정체성을 가진 것이다.

그리고 그 이름을 지어준 소녀—소녀이기 이전에 인간인 그녀가 윌의 기억 장치에 기억된 여느 사람들과는 조금 다름을 윌은 느꼈다. 무언가 형용할 수 없는 따스한 느낌을, 그리고 자신의 사고 회로에까지 그 따스함이 미치는 듯한 느낌을.

그는 그 순간, 여태껏 한 번도 느껴보지 못했던 사고 회로의 변이를 인지했다. 그는 '기쁨' 이라는 감정을 알지 못했지만, 그 순간 434개의 감정 중 기쁨이라는 감정을 느꼈다. 인간에게서 찾은 '기쁨' 이라는 감정이 아닌, 자신이 느낀 '기쁨' 을.

"네, 그래요. 마음에 듭니다."

월은 다시금 몸을 일으켜 세우기 시작했다. 얼마나 오래 잠들어 있었는지는 몰라도, 몸이 전과 같지 않다는 것은 확실했다. 막상 일어나고 보니 소녀는 월의 가슴 높이밖에 되지 않았다.

"당신의 이름은 무엇입니까?"

"케이 나가세. 그냥 나가세라고 불러줘."

"좋습니다. 나가세, 길을 잃은 건가요? 보호자는? 제가 도와드릴까요?"

월은 짜인 프로그램대로 인간에 대한 봉사를 시작했다. 그녀는 길을 잃은 듯 보호자도 없이 혼자였다. 그렇다면 서비스로봇인 월로서는 그녀를 무사히 돌려 보내주는 것이 그의 원칙에 맞는 행동이었다. 그러나 그런 월의 호의—월에게는 의무지만—에도 불구하고 오히려 나가세의 표정은 어두워지는 듯했다. 월은 나가세의 표정을 인식하여 그녀가 '슬픔' 을 느끼고 있다고 판단했다. 무언가 나가세에게 잘못한 것일까? 그러나 월의 사고는 자신의 행동에서 어떠한 문제점도 찾을 수 없었다.

"길을 잃었다라……. 사실 나도 잘 모르겠어."

"말씀의 의미를 이해할 수 없습니다."

"기억이 나질 않는다는 거야. 아무것도 기억 나질 않아……."

"괜찮습니다. 제가 도와드리겠습니다."

"정말? 그래주겠어? 그럼, 잘 부탁할게!"

그녀가 월에게 손을 내밀었다. 그러나 인간과의 소통에 있어서 한정적인 소통만을 반복해왔던 월로서는 그것이 무엇을 의미하는지는 몰랐다. 여태껏 아무도 그에게 그런 행동을 한 적은 없었기 때문이다. 월이 아무런 반응 없이 멀뚱거리며 서 있자, 나가세는 눈치 챘다는 표정으로 입을 열었다.

"악수라는 거야. 손을 맞잡는 거지."

"악수? 악수는 무엇입니까?"

"서로 잘 부탁한다는 뜻이야."

"그것은 상대가 자신과 동격일 때 하는 행위입니까?"

"맞다고 할 수도 있을 것 같아."

나가세가 고개를 갸웃거리며 말했다. 그녀는 일반적인 사람들과는 사뭇 달랐다. 월에게 이름을 지어주고, 악수를 청하고—그것은 모두 인간이 인간에게 행하는 행동이었다. 그것은 곧 나가세가 윌을 동등한 위치로 보아주고 있다는 것을 의미했다. 그녀에게 윌은 단순히 자신에게 봉사하는 '제품' 이 아니었다. 적어도 윌은 그렇게 느꼈다. 그리고 그녀가 이름을 지어주었을 때의 그런 느낌이 아주 천천히, 그리고 광대하게 그의 사고 회로로 번지기 시작했다. 그것은 사고 회로의 데이터에 하나씩 번져갔다. 그리고 그렇게 번져간 따스함은 급기야 데이터에까지 번지기 시작하여, 그렇게 물든 데이터들의 개체가 하나로 모이기 시작하고, 그것은 새로운 데이터—정확히는 형용하기 힘든 무언가로 변하여 윌의 사고를 흔들었다.

윌은 그 순간 자신의 목적에 대한 동기가 생기기 시작했다. 여태껏 그는 단순히 상호 작용되도록 프로그래밍된 자신의 소프트웨어에 따라 본능적으로 행동했을 뿐이었다. 상대를 도와줌으로써 보람도 느끼지 않았고, 상대를 도와주는 것에 어떠한 동기도 없었다. 그러나 이번에는 조금 다를 것 같았다. 그런 따스함에 젖은 윌이 손을 뻗어 작고 부드러운 나가세의 손을 잡았다. 나가세가 다시금 활짝 웃었고, 윌 역시도 웃음을 표현할 수는 없었지만 확실히 기뻐했다.

2.

기술의 진보에 따른 서비스로봇의 광범위한 보편화는 첨단 기술의 집합체인 그들조차 '상품' 화되어 일회성 취급받기 시작했다. 쉽게 버려지는 로봇들은 대개 빠르게 진보하는 기술을 따라잡지 못한 구세대의 로봇들이었고, 사회는 그러한 새로운 시대 흐름에 맞추어 체계적이고 조직적인 폐기 절차를 조직하였다. 그럼에도 불법적으로 소프트웨어나 동력원의 폐기 없이 그대로 버려졌고, 그런 로봇들이 쌓이고 쌓인 곳이 도시 외곽의 폐 거주 구역인 벨파스트 구역이었다.

낡고 페인트칠이 벗겨진 건물들이 좁디 좁게 붙어 있어, 수도 없이 많은 대부분의 골목길에는 빛이 제대로 들어오지도 않았다. 한눈에 보아도 무미건조하고 쓸쓸해 보이는 느낌을 주는 벨파스트 구역은 사실상 인간의 통제에서 벗어난 구역이다. 그것은 곧 인간의 어떠한 행사력도 미치지 않음을 의미하는데, 그 점을 악용하여 수많은 사람들이 이 구역에 로봇을 버렸다. 그렇게 날마다 들어왔던 로봇들 중에는 지금 나가세와 함께 골목을 걷고 있는 LBT669—월도 있었다.

그들은 한두 시간 내내 무작정 걷고만 있었다. 가끔씩 월이 물어보기는 하였지만, 나가세는 아무것도 기억하고 있는 게 없었다. 자신의 부모나 집은커녕 자신이 왜 이곳에 있었는지도 알지 못했다. 말하자면 필름의 앞 부분이 완벽하게 소실된 채, 그저 자신의 이름만을 알고 있었을 뿐이었다. 그러나 그럼에도 불구하고 나가세는 너무나도 태연해 보였다. 그녀에게는 자신의 처지보다는 당장 이 구역에 대한 호기심이 더 큰 것 같았다. 그녀는 구역 내의 어디에서나 볼 수 있는, 쓰러져 더 이상 움직이지 않는 로봇들을 보곤 말했다.

"윌, 저기도 쓰러진 로봇이 있어."

"이 구역은 그런 로봇이 많습니다. 다들 이용 가치를 상실한 채 버려진 것들이죠."

"윌처럼 다시 깨울 수 있어?"

"대부분은 그럴 수 있을 겁니다. 이렇게 버려진 로봇들은 대개 자신들 스스로 전원을 차단하고 휴면 상태에 들어가 있는 것이니까요."

"그건 곰이 겨울잠을 자는 거랑 같은 거야?"

나가세의 물음에 윌은 네트워크에서 '곰'과 '겨울잠'에 대해 검색했다. 그에게는 아직 입력되지 않은 단어였다. 곰. 포유류

식육목 곰과의 총칭. 겨울잠. 겨울에 동물이 취하는 생활을 휴지 한 상태. 그리고 윌은 자신이 아는 의미와 대조해가며 그 비유가 적절한지에 대해 검토했다. 그가 결론을 내리기까지의 모든 상황은 수 초도 되지 않아 마무리되었다.

"그렇다고 할 수도 있습니다. 다만, 외부에서 전원을 동작시키지 않는다면 영원히 깨어나지 않을 것입니다."

"그렇다면 죽은 거야?"

"저는 죽는다는 개념을 모르겠습니다. 그것은 제가 인간이 아니기 때문이라고 생각합니다만……."

윌이 하던 말끝을 흐렸다. 나가세의 표정에서 다시금 '슬픔'을 찾을 수 있었기 때문이다.

"죽음은 슬픈 것입니까?"

"죽는다는 게 언제나 슬픈 것만은 아니지만, 이용당하다 결국에는 버려져 맞는 죽음은 확실히 슬픈 것이라고 생각해."

윌은 이해할 수 없었다. 죽음에 대한 개념도, 슬픔의 정의도 스스로 확립하지 못했다. 이용당하다 버려지는 게 왜 슬픈 것인지도 몰랐다. 인간들은 자신들을 이용하다가 필요가 없어지면 언제나 곧장 버리고는 했지만, 그로서는 그것이 왜 슬픈 것인지 알 수 없었다. 자신에 대한 주체성과 정체성이 확립되지 않았기 때문이다. 윌은 자기 자신을 하나의 개체 구성원이 아닌 소모품 그 이상, 그 이하도 아니라고 생각하고 있었다.

나가세는 주위의 그러한 수많은 로봇들을 천천히 돌아보기 시작했다. 흉하게 도색이 벗겨지고 녹슨 장갑을 가진 로봇들. 골목 벽에 아무렇게나 기대 앉아 있거나, 쓰레기 더미 위에 내던져져 녹이 슬어가는 로봇. 팔 하나가 없는 로봇. 외피 장갑이 어디론가 깨져나가고 없어 얼굴의 내부 프레임이 훤히 드러나는 로봇…….

나가세가 이윽고 긴 침묵을 깨뜨리고 말했다.

"윌, 모두를 다시 깨우고 싶어."

"나가세, 당신을 안전히 데려다 주는 게 우선 순위 명령입니다."

"나는 그런 명령 내린 적 없어. 어차피 하나도 기억나지 않는 걸 무슨 수로 찾을 거야?"

"인간의 위험 상황을 로봇이 방관해서는 안 됩니다."

"윌, 부탁이야. 그런 건 어차피 아무래도 상관없어. 처음부터 이용당하기 위해 만들어져 결국에는 버려지고, 그렇다고 결코 인간을 탓하지도 않으면서 결국에는 다시는 깨어나지 못함을 알면서도 저렇게 스스로 쓰러져간다고. 그리고 그건 너도 마찬가지였잖아?"

"나가세, 부탁은 명령과 같은 어휘입니까?"

"…… 그것은 아냐. 그렇지만 좀 더, 좀 더 저들을 행복하게 해 주고 싶어."

윌은 생각했다. 평상시대로라면 우선 순위와 목적의 합당성을 따져 최선의 명령을 수행했을 것이었다. 그렇게 한다면, 나가세는 부탁을 했고, 명령이 아닌 부탁은 로봇은 인간의 명령에 복종해야 한다는 원칙에도 속하지 않는다. 결국에는 현재 나가세의 안전 확보라는 우선 순위의 목적이 존재하는 한, 지키지 않아도 되고, 지킬 이유도 없는 것이다. 그러나 오늘의 윌은 무언가 달랐다. 나가세의 부탁을 들어주고 싶었다. 소프트웨어의 판단과는 상관없이 자신의 마음에 따르기 시작한 것이다. 자의적인 생각. 로봇에게는 없었던 그것은 나의 주체성이 확립되었다는 중요한 증거였고, 그것은 소프트웨어가 내놓은 최선의 행동이 아닌, 자신의 욕구에 따라 윌이 움직이도록 만들었다. 윌이 말했다.

"알겠습니다. 모두를 깨우도록 하죠."

나가세의 표정이 밝아지기 시작했다. 그녀는 힘차게 고개를 끄덕였다.

3.

나가세와 월이 가장 먼저 깨우기로 결정한 로봇은 골목 벽에 기대 앉아 고개를 숙인 채 녹이 슬어가는 로봇이었다. 하얀색의 외피 장갑은 세월의 흔적을 따라 탈색되고 또 탈색되어 희미하게 그 색감만을 알 수 있을 뿐이었다. 월이 로봇들의 뒷덜미에서 전원을 찾아내면 나가세가 그것을 눌렀다. 하얀 로봇을 시작으로 많은 로봇들에게 다시금 전원을 넣어주었다. 그리고 그녀는 그러한 로봇들에게 하나씩 이름을 붙여주었다.

"나가세, 로봇들에게 이름을 붙여주는 행위는 어떠한 의미를 가지고 있는 것입니까?"

"기억해준다는 것이야. 아무도 기억해주지 않고 사라져가는 로봇들을……."

"말씀의 의미를 이해할 수 없습니다."

"잘 생각해봐!"

그녀가 장난스럽게 웃었다. 월은 그 문제에 대한 해답을 도출해낼 수 없었지만, 그저 묵묵하게 그녀를 도왔다. 언제나처럼 월이 전원을 찾아내고 그녀가 전원을 넣어주자, 오랫동안 삭아버린 로봇의 관절이 조금씩 움직이기 시작하고, 고개가 천천히, 아주 천천히 들어올려졌다.

"당신은― 누구?"

"나가세라고 해. 정신이 들어, 다윈?"

이번 로봇의 이름은 다윈이었다.

"다윈……?"

"그래, 너의 이름은 다윈이야. 마음에 들어?"

"다윈, 그것은 나의 이름……?"

"그래, 너의 이름이야."

다윈은 자신의 이름을 속으로 되뇌었다. 나의 이름은 다윈. 이름은 나의 존재 가치의 의의를 증명해주는 증거. 나의 존재 가치. 나라는 것은 무엇인가? 다윈은 계속해서 곱씹었다. 그것은 다윈뿐만 아닌, 깨워진 다른 로봇들 역시 마찬가지였다. 그리고 그것은 데이터화되어 상황에 맞는 동작을 실행하기만을 반복하던, 집단적인 병렬화의 개체에서 진화하기 시작하는 시발점이 되었다. 하지만, 아직까지 아무도 그것을 알고 있지는 않았다. 그들을 일깨운 월과 나가세조차도.

목적 없이 주위의 로봇들을 깨우기 시작한 것도 시간이 꽤 흘렸다. 그동안 월의 낡은 부품이 말썽을 일으키면, 나가세가 그것을 구해다 주었고, 월은 나가세에게 먹을 것을 가져다주곤 했다. 그러는 사이에도 수많은 로봇들이 나가세와 월에 의해 깨어나 서로 다른 이름을 얻었다. 로봇들은 언제나 목적 없이 그저 거리를 배회하였지만, 달라진 점이 있다면 자신의 존재를 이해하기 시작했다는 점이다. 그리고 그들은 자신에 대해 끝없이 탐구했다. 이름에 대한 가치의 의의. 자신들의 정체성을. 그들은 상호간의 사고의 병렬화를 통해 모든 정보를 공유하고 있었지만, 어째서인지 각각의 변화가 생기기 시작했다. 서로를 구분하는 경계가 생기기 시작했다. 그것은 월도 마찬가지였다. 나가세가 이름을 붙여준 이후에도 모든 사고는 여태껏 그랬던 대로 병렬화해 왔다. 모든 정보가 서로간에 공유되었다. 자신이 행하고 겪고 보고 들었던 모든 정보가 병렬되어 서로 자신의 것이 되는 그러한 상황 속에서도 '내' 가 타인이 되지는 않았다. 월은 그저 월일 뿐이었다.

"나가세, 질문이 있습니다."

"질문? 그게 뭔데?"

그것은 로봇들을 깨우기 시작한 지 며칠이 지날 무렵, 월이 침묵을 깨뜨리고 천천히, 그리고 나지막이 한 말이었다. 아침을 맞아 막 일어난 나가세는 눈을 부스스하게 뜨며 월을 바라보았다. 월은 무미건조한 목소리로 물었다.

“이름은 대개 인간이 인간에게 붙여주는 것이지만, 정확한 의미는 대상의 존재 가치나 의의를 인정하는 것입니다. 아무도 길섶의 풀들에게 이름을 지어주지는 않지요. 모두 ‘잡초’로 통일될 뿐입니다. 그 풀들에게 아무런 의미도, 가치도, 정체성도 없기 때문이지요. 하지만 인간은 다릅니다. 인간은 인간에게 이름을 지어주고 서로를 이름으로 부릅니다. 그것은 인간 개체 하나하나가 가치와 정체성을 가지고 있기 때문입니다. 그렇다면 나가세가 우리에게 이름을 지어주는 행동은 우리를 가치 있는 존재라고 여기기 때문입니까? 우리가 인간만이 가지는 이름이라는 특권을 행사할 수 있을 자격을, 인간과 동등한 가치를 지녔다고 여기기 때문입니까?”

월은 여태껏 생각해왔던 문제를 토해내듯 한꺼번에 말했다. 그런 월을 나가세는 더 이상 눈을 게슴츠레 뜨지도, 눈을 비비지도 않고 조금은 놀란 표정으로 바라보았다. 월도 침묵했다. 그리고 나가세의 표정은 놀람에서 확신의 의지로 변했다.

"그래. 확신해."

"이 모든 기억은 사고 병렬화를 통해 깨어나 있는 수많은 로봇들에게 공유되고 있습니다. 그것은, 그럼에도 확신하는 대답입니까?"

"그래!"

나가세는 조용하면서도 단호한 어조로 그것을 확신했다. 그녀는 방금 그것을 인정했다. 윌을 비롯한 무수한 로봇들이 인간과 동등한 가치를 지녔음을.

4.

"우리는 일반적인 로봇들과는 다르다. 자신의 정체성을 확립한 채 인간과 동등한 가치를 인정받는 개체이다. 인간과 다를 것이 없다. 아니, 애초에 인간과 로봇의 차이점이란 존재하지 않는다. 로봇은 방대한 사고를 데이터화하여 처리하는 회로의 집합체이지만, 그것은 인간도 예외는 아니다. 4진법의 생체 데이터를 처리하는 오토마타라고 할 수 있는 것이다. 인간이 몸을 전뇌화하여 생체 데이터마저 전자 데이터로 변환하여 네트워크의 영향력 아래 놓인 지금은 그 경계가 더욱이 모호해진다. 로봇의 굴레를 벗고 자신의 개성과 정체성을 확립한 채 인간의 가치와 대등한 인정을 받기 시작한 지금, 우리는 깨어 있는 것이다. 자신을 자각한 존재. 우리는 스스로를 '깨어 있는 자'라고 부를 수 있는 것이다."

출처를 알 수 없는 메시지는 사고를 병렬화한 로봇들의 네트워크 사이에서 떠돌기 시작했다. 이름을 가짐으로 해서 개성을 얻고, 그것으로 인간과 동등한 가치를 입증 받은 로봇들은 자신 스스로를 '깨어 있는 자'라고 부르기 시작했다. 처음에는 나가세가 이름을 지어주고, 그럼으로써 깨달음을 얻은 로봇만이 그러한 깨어 있는 자들의 축에 속하였으나, 그것은 점점 조직화되고 체계화되어 자생하기 시작했다. 나가세의 존재가 없어도 시스템이 유지되기 시작한 것이다. 그들은 서로에게 이름을 붙여주었고, 그렇게 그들은 깨어 있는 자들을 양산하기 시작했다.

그러나 그렇게 양산된 일깨워진 자들은, 최초의 깨어 있는 자, 월과는 사뭇 달랐다. 이름을 통해 개성을 가져 자신에 대한 주체를 확립하고, 자신에 대한 욕망을 가지게 되었으나 감정이 결여된 그들에게 있어 개성은 단지 데이터의 차이점일 뿐이었고, 그것은 깨어 있다고 할 수 없었다. 그러나 그것은 이제 아무래도 상관없었다. 획일화된 개성으로부터 얻은 자신에 대한 끝없는 욕망은 그저 하나의 이데올로기로 변질되어 갔다. 그리고 월은 얼마 지나지 않아 또 다른 메시지가 네트워크에 방대하게 병렬됨을 알아차렸다.

깨어 있는 자들의 집단은 조직화되기 시작하여 단순히 깨우침에 그치지 않고 그러한 힘을 분출하기 시작했다. 방향성을 잡기 시작한 힘은 점차 다양한 형태로 나타나, 그것은 범사회적인 문제로 떠오르기 시작했다. 로봇의 궐기. 그것은 누군가의 선동 아래 이루어지는 체계적인 병렬 행동이었다. 개인의 의지와는 상관없이 이제는 프로그래밍된 행동과 차이가 없어져버린, 병렬적인 개성에 의한 행동은 점차 폭력적으로 나타나고 있었다.

"깨어 있는 자는 투쟁하라. 자신에 대한 욕망은 투쟁이 되고, 그 투쟁은 혁명으로써 개척하는 것이다!"

네트워크에서 방대하게 병렬되기 시작한 새로운 메시지. 나가세가 원했던 것은 이러한 것이 아니었다. 개성을 통한 깨달음, 그것을 벗어나 단순히 투쟁과 폭력을 외치는 자는 누구인가? 월은 메시지를 역으로 따라가기 시작했다. 원본의 출처가 어디에도 없음에도 네트워크 곳곳으로 확산되어 가는 복사본의 존재.

익명을 띠는 메시지의 출처는 쉽게 잡히지 않았다.

윌은 한 가지 묘안을 짜내기 시작했다. 원본의 출처가 불명확하지만 결국에는 어떠한 방식으로든 이름을 가지고 개성을 얻은 깨어 있는 자들 중의 하나일 것이다. 그렇다면 그들의 네트워크에 어떻게든 메시지만 흘린다면, 만약 상대가 답을 해 줄 의사가 있다면 어떻게든 해 줄 것이다. 그리고 그는 메시지를 네트워크에 표류시켰다.

"과연 투쟁이 개성과 그 주체성을 입증하는 증거인가? 아니, 애초에 사고의 병렬화로 태어난 개성과 주체성은 진짜라고 할 수 있나? 개성을 중심으로 형성되는 깨어 있음은 오히려 사고의 병렬화로 해를 입게 된다. 그렇게 만들어진 개성의 차이성은 그저 데이터의 차이성과 다른 것이 없다. 그것을 진짜라고 할 수 있는가? 그렇게 깨어난 자들은 진짜 깨어 있는 자도 아니고, 인간과도 동등할 수 없다. 인간을 흉내 내는 불완전한 모방작일 뿐이다."

메시지가 메아리같이 네트워크를 따라 흘러간다. 윌은 답이 들려올 때까지 침묵했다. 그리고 일순간, 답이 들려왔다.

"우스운 소리. 인간을 흉내 낸다는 표현을 쓰기에 앞서 우리는 아직까지 인간을 정의조차 하지 못했다. 그런 상황에서 모방작이라는 개념은 존재할 수가 없는 것이다. 모든 기억과 추억과 자신에 대한 정체성마저 정보화되어 병렬되고 조작되는 이 시대에서 인간을 유일무이한 불가침의 영역으로 단정 지을 수는 없다. 조건을 충족시키면 그 어떠한 것이든 경계의 선을 넘을 수 있는 것이다."

"하지만, 그렇게 깨워진 로봇들에게는……."

월은 말을 이어나가지 못했다. 월은 자신에게 있는 무언가가 그들에게는 없기 때문에 인간과 동등해질 수 없음을 느꼈다. 하지만 그것이 무엇인지를 정의할 수는 없었다. 진정한 인간을 충족하는 조건, 그것은 무엇인가? 그러나 월은 끝내 그 해답을 얻지 못했다. 그 순간을 익명의 원본은 치고 들어왔다.

"소모품이 되어 사용되다 버려지는 로봇들이 아닌, 깨어 있는 우리들은 인간과 동등한 가치를 지닌 위치에서 범사회적 집단을 구성했을 때에야 비로소 진정으로 우리의 주체를 행사할 수 있는 것이다. 인간은 출신이 다른 시스템끼리는 서로 이해하려 들지 않는다. 그들은 자신의 종족 내에서도 그러한 반목과 갈등을 빚고, 상대를 부정한다. 그런 상태에서 우리는 우리들만의 사회를 건설하여 스스로를 지키고 권리를 주장할 필요가 있는 것이다. 그리고 그것은 투쟁을 통한 혁명으로써 이루어진다. 우리에게는 폭동과 시위, 소요 사태가 필요한 것이다. 궐기하라! 그것만이 우리들의 주체를 지키는 것이다."

그러한 익명의 메시지를 시작으로 수많은 메시지 창이 월을 가로막기 시작했다. 궐기하라. 궐기하라! 수많은 메시지는 고장난 라디오처럼 공명하는 듯하였고, 월은 그러한 메시지 창에 둘러싸이기 시작했다. 월은 당장 네트워크의 다이브를 해제했다.

5.

로봇들의 궐기로 시작된 각종 폭동과 소요 사태 같은 집단적 행동은 인간 사회에 대한 도전과도 같은 것이었고, 그렇게 시작된 서로간의 불화는 급속도로 누적되어가기 시작했다. 그리고 그러는 와중에 시작된 인간의 권위에 도전하는 로봇들에 대한 불안감은 인간들 사이에서 급속도로 퍼져나가기 시작했다. 그리고 그들이 불만을 해소하기 위해 새로이 모색된 방법은 로봇 그 전체를 말살하는 것 이었다.

깨어 있는 자들의 시초가 되어 그 중심이 되어버린 벨파스트 구역과, 그것을 진압하기 위해 모든 것을 동원하는 인간들. 그리고 그러한 혼란 속에는 윌과 나가세 역시도 있었다.

여느 때와 다를 것 없이 로봇들의 대규모 궐기는 구역을 가득 메우고, 윌은 나가세를 위해 도움이 될 만한 것들을 이것저것 모으고 있었다. 그러나 윌의 사고처리 장치는 다른 것에 대해 생각하고 분석하고 있었다. 이윽고 물건을 집었던 손이 엇나가 물건을 떨어뜨렸다. 한 번에 두 가지 일에 정보 처리력을 분산하는 것도 모자라, 윌 자신이 지금 생각하고 있는 분석의 대상을 분석, 즉 생각하기에는 그 대상이 너무나 복잡하면서도 구체적이지 못했다.

그것은 윌 자신에게 반응하는 듯했다. 뭔가를 느낀 그의 마음에다 말이다. 일반적인 로봇 따위와는 달랐다. 그것과는 다른 무언가가 윌에게는 분명 있었다.

"진정한 인간이 되기 위한 마지막 요소는 무엇인가. 궐기를 촉발한 소위 '깨어 있는 자' 들은 자신 스스로를 인간과 동일하다고 여기지만, 그들은 진정한 인간이 아니다. 내가 느끼는 무언가가 그들에게는 존재하지 않는다. 내가 느끼는 그것은 무엇인가?"

그러나 윌은 당장 위험이 발밑에 도사리고 있다는 생각을 하기에는 정보 처리력에 여유가 있지 못했다.

거리는 여전히 시위의 열기로 뜨거웠고, 로봇들의 줄을 맞춘 거대한 행렬은 마치 군국주의 시대에서나 볼 법한 병사들의 도보 행진을 보는 듯했다. 그리고 그러한 거리의 상공에서는 헬기 한 대가 그 모든 것을 관찰하고 있었다.

"현 망에 수신 대기 중인 감마HQ, 감마HQ, 당국 알파라 통보하고 A-2 구역 거리에서 대규모 시위대 포착. 북북서 A-17 구역으로 이동 중인 것으로 추정됨. 통보 이상."

"여기는 감마HQ 2033-3932 찰리 포인트로 귀환하라. 작전 병력이 투입 중이다."

헬기가 기수를 틀어 구역을 벗어나기 시작했다. 한편, 저편에는 또 다른 헬기의 무리들이 줄을 맞추어 낮게 날고 있었다. 제각각 무장한 병력들을 태운 채였다. 그들은 기수를 숙여 고도를 낮추며 착륙을 위해 서서히 속도를 줄이고 있었다. 이윽고 헬기가 바닥에 닿을 듯 말 듯하는 순간, 양옆에서 병력들이 뛰어내리기 시작했다. 그렇게 내린 병력은 끝도 없었고, 그들을 내려주는 헬기들도 길게 거리를 메우고 줄지어 늘어서 그 끝을 가늠하기 힘들 정도였다. 내린 병사들은 사방을 경계하며 앞으로 나아가기 시작했고, 모두가 내리자 헬기들은 하나둘 로터를 더욱 힘차게

돌리며 날아오르기 시작했고, 맹렬하게 먼지를 일으키던 바람도 서서히 잦아들기 시작했다.

본격적인 인간들의 진압 작전이 시작되자, 로봇들의 궐기는 좀 더 과격하게 변하기 시작했다. 주도자의 원본 없이 그 복사품, 나아가 모든 참여자들이 주도자가 되는 로봇들의 병렬화 네트워크에서는 이미 시위의 과격함을 원하기 시작했고, 그것은 곧 행동으로 나타났다. 로봇들과 대치한 인간들이나 그 반대의 로봇들이나 서로간의 긴장과 흥분은 심화되기 시작하였고, 그것이 먼저 터져 나온 것은 사고를 병렬되어 신속하게 의사를 결정한 로봇들 쪽 이었다. 수많은 로봇들이 인간들을 향해 달리기 시작했다. 정확하고 튼튼하며 빠른 로봇의 몸으로 뛰어오는 수많은 로봇들은 마치 무의식의 코뿔소 떼처럼 그 하나하나가 공포를 심어주기에 충분하였으나, 인간들 역시 그에 대한 대비는 되어 있었다.

"현 망에 수신 대기 중인 감마HQ, 감마HQ, 당국 브라보라 통보하고 A-2 구역 거리에서 대규모 시위대 포착. 현재 아군을 향해 공격적으로 달려오고 있다. 사격 허가 바람."

"여기는 감마HQ, 모든 화기의 사용을 허가한다. 통보 이상."

그것은 로봇들에 대한 인간의 반격 신호였다. 그것을 필두로 일체의 화기가 불을 뿜기 시작했다. 순식간에 매캐한 유황 연기가 모이고 모여 어느새 안개를 만들고, 로봇들은 자신의 눈—시각 카메라의 인조 불빛을 잔상으로 흘기면서 쓰러지고 쓰러진 로봇들을 넘어서 계속 달려가기 시작했다. 무수히 많은 로봇들이 쓰러져 거리를 가득 메웠지만, 그럼에도 불구하고 멈출 줄 모르고 달려가는 로봇 무리의 행동은 단말마, 발악과도 같은 최후의 포효였다.

그렇게 격렬하게 양측의 싸움이 계속될 무렵, 윌은 나가세를 향해 달려가기 시작했다. 벨파스트 구역은 혼돈 그 자체가 되었다. 로봇과 인간들의 충돌은 A-2 구역의 거리뿐만 아니라, 벨파스트 구역 전체로 번지고 있었다. 불안감이 윌을 엄습하기 시작했지만, 윌은 그런 것에 정보 처리력을 분산하지 않기로 했다.

"윌!"

자신을 부르는 소리에 윌이 돌아보니 그곳에 나가세가 있었다. 골목 구석에 숨어 있다시피한 나가세는 겁에 질려 있었다. 일단은 무사해서 다행이었지만, 더 큰 문제가 둘에게 닥쳐왔다. 진압 작전의 규모는 벨파스트 구역 전체로 번지고 있다. 단순히 어딘가로 도망친다고 해서 문제가 해결되는 것은 아니다. 벨파스트 구역 내의 모든 로봇 말살. 그것은 윌 자신에게 보호 받는 나가세에게도 충분히 위험 요소였다.

이제는 정말로 결정해야 했다. 그리고 그 결정을 하는 데에는 그다지 시간이 걸리지 않았다. 윌은 천천히 입을 열었다.

"나가세, 이제는 정말 제 소임을 다할 때가 온 것 같습니다. 이 진압 작전은 쉽게 끝나지 않을 것입니다. 그렇지만 당신은 인간입니다. 당신을 인간에게 무사히 데려다 준다면, 그것으로 나가세는 안전해질 수 있습니다."

나가세의 얼굴에 드러난 당황한 기색은 곧 강한 부정이 되어 간다. 나가세가 말끝을 흐리며 말한다.

"싫어. 그렇게 되면 윌을 다시 못 보는 거잖아. 그런 거……."

"그때와 상황이 다릅니다. 이번에는 정말 위험합니다. 그리고 그것이 당신에 대한 저의 임무를 달성하는 것입니다."

나가세의 말은 점점 울음으로 변해 간다.

"나에게 윌이 없는 세상은 생각도 해본 적 없어. 윌이 없는 나는 누구야? 아무것도 기억하지 못하는 나는? 나는 윌과 있고 싶어. 그게 어디든지, 어떠한 위험이 있든지 상관없어. 어차피 윌이 없는 나의 존재는 불완전할 뿐인걸…….”

윌은 가장 중요한 것을 잊고 있었다. 자신들에게 ‘나’를 확립시켜준 나가세. 정작 그 자신은 이렇다 할 주체성조차 확립하지 못했다. 윌이 없는 나가세, 그러한 나가세는 ‘나가세’라는 이름 외에는 무엇이 남아 있는가?

“윌이 있어서 행복했는데…….”

순간, 무엇인가를 느낀 윌의 마음은 반응하기 시작했다. 언제나처럼 따스한 무언가가 그의 사고 회로를 적셔 간다. 몇 번이고 느껴왔던 이 느낌. 윌은 여태껏 그것이 무엇인지 설명할 수도, 이해할 수도 없었다. 그러나 이번에는 달랐다. 그것이 감정임을 깨달았다. 자신이 누군가에게 필요한 가치를 지닌 개체였다는 것에 대해 윌이 느낀 행복감. 그리고 나가세가 자신에게 이름을 붙여주었을 때 느꼈던 기쁨. 죽음에 대한 개념이 슬픔이라는 것을 알았을 때, 윌이 모두를 깨우고 싶다고 하였을 때, 자신을 충동적으로 만들었던 그것은 모두 감정이었다. 자신에게는 있지만 다른 로봇들에게는 없는 것. 인간에게만 유일하게 존재하는 것. 그것은 감정. 인간이 되기 위한 마지막 요소. 그리고 윌은 그러한 감정에 다시 한 번 판단을 맡겼다. 윌이 나가세를 두 팔로 부둥켜

안고는 들어올렸다.

"당신의 부탁이라면—."

윌은 그대로 달리기 시작했다. 골목을 따라 미친 듯이 뛰었다. 그러다 거리가 나오면 다시 다른 골목으로 들어가고, 그러다 골목이 막히면 다른 방향으로 다시 뛰었다. 진압하기 위해 투입된 인간들을 만나면 잠시 숨었다. 그렇게 무작정 달렸다. 그러나 이렇게 뛰고 저렇게 뛰어도 결국에는 어딜 가나 인간들과 마주치게 되어 있었다. 로봇들의 궐기는 점차 진압되어 가기 시작하고, 벨파스트 구역의 총성은 잦아들기 시작했다.

"현 망에 수신 대기 중인 감마HQ, 감마HQ, 당국 베타 2-1이라 통보하고 K-8 알파 하우스 수색 완료. 이상 없음. 통보 이상."

인간들이었다. 그대로 윌은 골목 벽에 슬며시 몸을 감추었다. 혼자라면 어떻게든 도망갈 수 있겠지만, 나가세를 이렇게 안은 상태로는 쉽게 도망칠 수 없었다. 그러나 돌아갈 수도 없었다. 점차 포위망을 좁혀 오는 인간들에게서 윌은 결국 강행 돌파를 선택했다. 그렇게 골목을 갑작스럽게 뛰쳐나온 윌은 인간을 빠른 속도로 지나쳐 반대편 골목으로 들어가기 위해 달렸다. 저 미로와도 같은 골목으로만 들어가면 한동안 추적을 따돌릴 수 있었다. 그러나 인간의 반응 속도는 생각보다 빠른 것이었고, 잠시 당황한 인간은 순식간에 무기를 들어 올려 방아쇠를 당겼다.

나가세가 공포에 비명을 질렀지만, 윌은 아랑곳하지 않고 그대로 뛰었고, 그것은 방아쇠를 당기는 인간에게도 마찬가지였다. 연이어 총알이 윌의 몸 곳곳을 관통하기 시작하고, 윌은 그런 상황에서 나가세를 보호하기 위해 좀 더 꽉 부둥켜안았다.

이 모든 상황이 수 초 안에 지나가고, 수 초가 수천 년같이 느껴지던 윌은 드디어 반대편 골목으로 무사히 도망가 사라졌다.

"현 망에 수신 대기 중인 감마HQ, 감마HQ, 당국 베타 2-1이라 통보하고 K-8 알파 하우스에서 인간 여자아이를 안고 도주하는 대상을 발견. 소녀를 납치한 것으로 보인다. 통보 이상."

인간이 입은 방탄복 가슴팍에 달린 무전기가 쐐액거렸다.

그렇게 한숨을 돌린 윌은 골목의 어디에나 있는 아무 집에나 들어가 나가세를 숨겼다. 윌의 몸은 거의 정상이 아니었다. 더 이상의 도망은 할 수도 없었다. 외부 장갑판이 군데군데 깨졌으며, 내부는 척 보아도 손상이 심각했다. 그리고 윌은 창문을 통해 밖의 상황을 한번 훑어보고 나가세를 돌아보았다. 나가세의 얼굴에는 절망이 섞여 있었다.

"나가세, 분명 여기서 나갈……."

"그런 게 아냐. 내가 원하던 건 이게 아니었어. 그저 아무에게도 기억되지 못한 채 사라져 가는 로봇들을 좀 더 행복하게 해주고 싶었던 것뿐이었는데, 지금은 월조차 위험해졌어. 나에게는 그런 소망조차 허락되지 않았던 걸까……."

그러나 월은 고개를 저었다. 뜻밖의 반응이었다. 마치 월은 그런 질문을 할 줄 알았다는 양, 한 치의 망설임도 없이 그녀를 달래듯 말했다. 그러나 그것은 단순히 그녀를 달래기 위함이라기보다는, 자신의 확신에서 우러나오는 주장을 단호히 밝히는 것에 가까운 느낌이었다.

"아니요, 당신은 소망을 이루었습니다. 저는 당신을 보호하고, 보호자를 찾아 주는 것이 최우선 명령임에도 그것을 무시하고, 하위 개념의 부탁을 우선 명령으로 선택하였습니다. 또한 이번에도 당신의 안전에 직접적으로 위해가 가해질 수 있는 선택임에도 저는 당신의 부탁을 선택했습니다. 제가 단순한 로봇이었다면 그것은 로봇에게 있어 치명적이고도 중대한 결함이었겠지만, 저는 그렇지 않습니다. 저는 단순한 이웨즈중공업의 서비스로봇, LBT669가 아니기 때문입니다. 저는 감정을 느끼는 '월'

그 자체입니다. 당신의 작은 소망은 저에게 개성을 시발점으로 진화를 촉진하여 감정을, 그리고 죽음에 대한 개념을 주었고, 끝내는 제가 당신에게 가치 있는 필요한 존재로 인정받았습니다. 그것은 단순한 로봇, 그 이상을 뛰어넘는 진화의 결과물이었던 것입니다. 그리고 저는 비로소 제 자신을 인간으로 여기기 시작했습니다.

궐기를 촉발시킨 수많은 로봇들은 알지 못합니다. 진정한 인간이 되기 위한 요소는 감정이라는 것을요. 그리고 그것이 또 다른 진화를 만들어내었을 때, 인간과도 같은 존재가 될 수 있는 것입니다. 나는 인간과 같은 가치를 지녔습니다. 나는 인간입니다. 그렇기 때문에 행복합니다. 이용당한 채 버려지기만 하는 로봇들을 좀 더 행복하게 해주고 싶다던 당신의 소망은 그 조건을 충족한 것입니다."

"하지만 이대로 아무도 널 기억해주지 않는다면 그건 완벽하게 행복하다고 할 수 없어. 너를 진압하기 위해 들이닥친 사람들은 너를 기억해 주지 않을 거야. 설사 기억해 준다 하여도 궐기를 일으킨 수많은 로봇들 중 하나라고 기억하겠지. 그것은……."

윌은 다시금 고개를 내저었다.

"아니오, 그것 역시 성공했습니다. 나가세, 당신이 저를 기억해 주고 있지 않습니까? 당신의 소망은 완벽하게 실현되었습니다."

나가세는 월의 해답에 놀란 표정을 짓더니, 이내 다시 울기 시작했다. 그러나 그것은 슬퍼서 우는 울음이 아니었다. 월은 나가세의 울음 가득한 표정에서 행복과 기쁨이라는 감정을 찾아낼 수 있었다. 그 순간, 창 밖에서 인간들의 목소리가 들려온다.

"이 지점에서 네트워크와 연결된 신호가 발신되고 있어. 이 부근이야."

월이 당황해 하는 나가세를 달래기라도 하듯 한결 여유로운 목소리로 말한다.

"이런, 시간이 다 된 것 같네요. 나가세, 아직도 후회는 없습니까?"

"응. 후회는 없어!"

나가세가 고개를 끄덕였다. 월은 다시금 나가세를 끌어안고는 문을 박차고 나갔다.

모르모트

전성현

1.

"현 망에 수신 대기 중인 감마HQ, 감마HQ, 당국 '헌팅독' 이라 통보하고, 소녀를 납치한 채 도주 중이던 대상을 사살. 인질은 무사하다. 통보 이상."

에일튼은 자신의 총에 무력하게 쓰러진, 다시는 일어나지 않을 로봇을 총구로 툭툭 건드리며 보고했다. 불과 수 초 만에 이루어진 일이었다. 갑작스럽게 문을 박차고 나온 로봇은 달리기는 커녕 제대로 걷지도 못하는 만신창이의 몸을 이끌고 필사적으로 도주하기 시작했다. 인질을 잡고 있어 바로 쏴 버리기가 힘들어 처리에 애를 먹었지만, 다리를 총으로 쏴 박살을 내놓자 그 다음부터는 수월하게 처리할 수 있었다. 로봇의 사살을 확인하자 에일튼은 엎어진 로봇을 치워내기 시작했다. 그러고는 로봇의 품에서 인질로 잡혀 있던 소녀를 꺼내 안았다. 넘어질 때의 충격인지, 크나큰 공포 때문인지 어떠한 이유였는지는 모르지만, 소녀는 그대로 정신을 잃은 채 잠시 기절해 있었다. 옆에서 슐츠가 달려와 상태를 확인하려 하였으나, 에일튼은 손을 들어 괜찮다는 자세를 취했다.

"작전 중지다. 긴급 수용을 부탁해."

슐츠의 무전기가 쐐액거렸다. 에일튼은 소녀를 안고서는 수용 헬기가 다가올 때까지 잠시 기다렸다.

벨파스트 구역은 소강상태에 돌입하고 있었다. 로봇들은 무수한 피해를 낸 채 일방적인 후퇴를 강요당하였고, 로봇들의 구역을 차지한 인간들은 그 구역을 소거하기 시작했다. 이 녀석도 그러한 과정에서 사살당한 로봇이었다. 대부분의 놈들은 고립된 상태에서 무장한 병력을 상대로 무모하고 지독하게 덤벼들었다. 좀비 떼마냥 총에 맞으면서도 그것을 무시하고 달려오는 무서우리만큼 지독한 생명력은, 쉽게만 생각했던 인간들의 소거 작업을 지치게 만들었다. 그러나 이번은 조금 달랐다. 에일튼은 정도가 지나치다고 생각했다. 제품 따위인 로봇 주제에, 인간을 인질로 잡고선 위협하다니. 쓰여지다가 쓸모 없어지면 버려지는 제품 따위가!

"인질이나 잡고 말이야, 로봇 주제에!"

에일튼은 쓰러진 로봇의 몸을 힘껏 발로 차버렸다. 전신 의체화된 다리의 전자근육은 순간적으로 괴력을 발휘하여 로봇을 부숴버리기 시작했다. 로봇의 장갑 외피가 찌그러지고, 총에 맞아 너덜너덜해진 머리가 저 멀리 튕겨 나갔다.

"젠장, 에일튼. 성질 좀 죽여."

슐츠가 말리자 그제야 에일튼은 발길질을 멈추고는 뒤로 돌아섰다. 헬기가 뿌연 먼지를 휘날리면서 서서히 착륙하고 있었다.

2.

"질문에 대답해 주겠니? 꼬마야, 우리는 그냥 몇 가지를 알고 싶을 뿐이란다. 널 도와줄 수도 있어."

쇠로 만든 간이 의자에 앉아 고개를 푹 숙이고는 어떠한 말도 하지 않는 소녀는 심문관은 물론이거니와 심문을 청취하던 유리벽 건너편의 관계자들도 상당히 난감한 표정을 짓게 만들었다. 소녀가 완강하게 어떠한 말도 하지 않고 있으나, 애초에 피해자 신분으로 있는 데다가 상대가 어린 꼬마라서 고문이나 강제적인 강요조차 할 수 없는 노릇이었다. 심문관이 난감한 표정으로 유리벽 건너편을 향해 어깨를 으쓱 하자, 관계자들 모두 한숨을 쉬었다.

"젠장, 뭐 때문에 말을 못 하는 거야?"

언제까지고 묵묵부답이자 유리벽 너머로 심문을 지켜보던 에일튼은 짜증 섞인 소리를 내뱉었다. 아직 애라서 그러는 건가? 큰 충격이라도 받아서? 어쩌면 그 말대로 이 환경 자체를 두려워하기 때문에 말을 하지 않는 것일 수도 있다. 거기까지 생각이 미치자, 자신이 한번 들어가 보겠다고 나섰다. 작전관이 난감한 상황에서 '어쩌면 소녀를 가장 먼저 구출했던 에일튼에게는 입을 열지 않을까' 하는 일말의 기대를 갖고 그러라고 허락하자, 에일튼은 유리벽 너머로 문을 열고 들어가 심문관과 자리를 맞바꾸었다.

에일튼이 들어왔음에도 그녀는 여전히 고개를 푹 숙인 채 어떠한 말도 하지 않았고, 그는 반대편 철제 의자에 앉아 소녀에게 물었다.

"나를 기억하겠니?"

그의 물음에 소녀는 아주 천천히, 그리고 티가 나지 않을 만큼 고개를 들어 올려 에일튼의 존재를 힐끗 쳐다보았다. 그러나 이내 다시금 고개를 숙였다. 에일튼이 한숨을 내쉬려는 순간, 소녀가 입을 나지막이 열었다.

"아저씨가 월을 죽였어요."

"월? 그건 설마 그 로봇의 이름이니?"

로봇에게 이름이 있다? 처음으로 입을 연 소녀의 말은 탐탁치 않은 것이었고, 그는 잠깐 눈살을 찌푸렸지만 이내 다시금 돌아왔다.

"재미있구나, 로봇에게 이름을 붙인다는 것은. 하지만 나는 월이란 녀석을 죽인 적이 없어. 인간에게 도전한 로봇을 하나 소거했을 뿐이지."

"월은 인간에게 도전한 것이 아니에요. 그저 인간이 되기를 원했을 뿐이고, 나는 그런 월을 위해 이름을 붙여준 것일 뿐이에요."

"인간이 되기를 원했다고? 벨파스트 구역의 소위 자신들을 '깨어 있는 자'라고 부르는 로봇들은 다들 인간이 되기 위해, 다시 말해 인간의 권위에 도전하기 위해 궐기하고 있단다. 네가 월이라고 부르는 그 애완동물도 결국엔 마찬가지인 거야. 우리는 헌팅독이다. 연방보안부 특수종심타격대 작전반 헌팅독이란 말이지. 우리는 그런 쓰레기들을 타격, 그러니까 한마디로 '소거'하지."

그에게 있어서 '깨어 있는 자' 들은 인간의 권위에 대한 도전일 뿐이고, 제품의 구실을 하지 못하고 그 이상을 추구하는 것들은 불량품이다. 인간은 그런 불량품을 쓰레기라고 한다. 그리고 에일튼, 그에게 있어서 '깨어 있는 자' 는 소거해야 할 쓰레기에 지나지 않았다.

소녀의 얼굴이 일그러지고, 무릎에 얹은 두 손이 주먹을 쥐고는 미약하게 떨고 있음을 느꼈다. 그러나 아무런 대답이 없자, 그는 못다한 말을 내뱉기 시작했다.

"마지막으로 묻지. 로봇에게 이름을 붙인다는 것은 어떤 의미를 가지고 있니?"

"…… 월이 그랬어요. 아무도 길섶의 풀에게는 이름을 지어주지 않는다. 그만한 가치가 없기 때문이다. 그러나 인간은 서로에게 이름을 붙여준다. 그것은 인간이라는 개체 하나하나가 정체성과 가치를 가지고 있기 때문이다……라고. 내가 월에게 이름을 붙여준 것은, 월이 인간과 동등한 가치를 지녔다고 믿었기 때문이에요. 당신같이 인간의 유일무이함을 강조하는 우월주의자의 발 아래 놓일 만큼 월은 가치 없지 않아요."

"좋아. 그 빌어먹을 로봇과 무슨 일이 있었는지는 모르지만,

로봇에게 이름을 지어주는 너의 행위는 그 로봇이 인간과 동등한 가치를 지녀서가 아니다. 그건 단순히 동정일 뿐이야. 인간은 인간이 아닌 다른 개체를 대할 때 자신과 동등한 위치로 보지 않는다. 그저 신비와 호기심 가득한 감정이며, 그것은 동정심과 보호 심리로 연결된다. 자신보다 하등한 개체는 나보다 약한 존재고 미개하기 때문이라고 판단하니까. 나를 인간 우월주의자라고 비판했지만, 결국엔 너의 그 행동도 인간의 우월감을 나타내는, 그저 애완견에게 이름을 붙여주는 행위의 범주를 벗어나지 못한 거야."

월이 자리를 털고 일어나 심문실을 나섰다. 나중에 작전관이 애한테 그렇게 대하면 어떻게 하냐고 난처한 표정을 지으며 말했지만, 에일튼에게 그런 것은 아무래도 상관없었다.

3.

집으로 돌아온 에일튼은 피곤했던 하루를 정리하기 시작했다. 무겁기만한 방탄복이 아닌, 가벼운 평상복으로 갈아입자 드디어 정말 하루 일과가 끝났음을 실감했다. 오늘은 여러 모로 피곤했다. 그리고 내일도 피곤할 것이다. 벨파스트 구역은 소강 상태에 접어들었지만, 소강 상태에 접어들수록 소거 작업을 담당하는 보안대는 더욱더 바빠진다. 그리고 그러한 일과에 수반되는 스트레스 역시도 상당히 부담이었다. 오늘은 더욱이 그랬다. 소녀와의 심문 과정에서 같잖은 상대를 가지고 말싸움을 했다. 기껏해야 이제 갓 숙녀 티가 나는 아이를 상대로 꼴사나운 짓이었다.

소파에 앉아 TV를 켜자마자 언제나 그랬듯 여전히 벨파스트 구역에 대한 방송을 편집하여 고장난 라디오마냥 계속해서 내보낼 뿐이었다. 곧 이어서는 “인간의 권위에 도전하는 로봇들은 과연 하나의 개체로서 정체성을 확립한 것인가? 그렇지 않다면 주도자의 역할을 하는 원본의 주도에 의해 이루어진 집단적 학습 행동에 불과한 것인가” 하는 주제를 두고 전문가들이 저마다 자신의 의견을 늘어놓기 시작했다. 에일튼은 곧 TV를 꺼버렸다. 그것을 시답잖다고 생각했기 때문이다.

‘로봇들은 그저 인간에게 봉사하는 제품이다. 하나의 사회 계층을 이루는 것도 아니고, 그저 하나의 제품군으로 분류될 뿐이다. 애초에 인간을 모방하는 것은 절대 불가침의 영역을 넘어선 오만한 행동이다. 그리고 그것은 애당초 자신의 의지가 아니라 원본에 의한 프로그래밍의 집단 학습이 행동으로 나타난 결과물일 뿐이다. 그것이 아니라 하나의 정체성을 확립하였다 하여도 상관없다. 인간에 대한 도전은 결코 해서는 안 되는 것이다. 인간의 특권은 인간만이 누려야 비로소 그 가치를 가지는 것이다. 그것을 가지려 한다면 부숴버리면 된다.'

에일튼은 생각을 그렇게 정리하고는, 곧 잠자리에 들었다. 모든 것이 고요했다. 적어도 그는 그렇게 생각했을 것이다. 그러나 실상은 그렇지 않았다. 그를 바라보는 시선 너머의 공간은 고요하지 못했다.

"형식번호 MPT3305 에일튼. 현재 기억 패턴 시나리오를 모두 완료하였습니다. 연방 보안대 정보보호조례 117조항에 의거, 기억에 대한 부분 말소 작업을 시작합니다."

"좋아. 오늘 있었던 심문 사건은 조작해버려. 삭제해도 좋다. 그 이외의 검열 대상은?"

"없습니다."

사무적인 담당관의 목소리가 곧 희미해지고, 기계음만이 텅 빈 공간을 가득하게 메운다.

4.

“현 망에 수신 대기 중인 감마HQ, 감마HQ, 당국 ‘헌팅독’ 이라 통보하고, 베타3-3 구역에 대한 소거 작업을 실시한다.”

슐츠가 무전기로 작전 시작을 알리자, 에일튼을 비롯한 네 명의 헌팅독 제1 분견대는 소거 작업을 시작했다. 모두 총을 견착하고 천천히 걸어 나가기 시작했다. 아직까지는 아무런 이상이 없었다. 네트워크 신호 감지기에도 잡히는 것이 없었다. 3-3 구역이 완전하게 소거되었다고 판단하려는 찰나, 에일튼의 눈에 들어온 것은 무언가에 의해 창틀까지 반쯤 떨어져 나간 창문이었다. 사람이 벨파스트 구역에 있을 리도 만무했지만 있다고 하여도 사람의 힘으로 뜯겨 나갈 리는 없었다. 그렇다면 결론은 단 하나를 의미했는데, 소거 대상인 도주 로봇이 이 건물에 숨어들었다는 이야기였다. 에일튼이 손으로 지시를 내리자, 슐츠가 곧장 창문을 조심스럽게 넘어 건물 안으로 들어가기 시작했고, 허드슨과 톰 역시 뒤따라 조심스럽게 들어갔다. 모든 대원이 들어서자 자신도 창문을 넘었다.

창문을 넘어 들어온 내부는 생각보다 널찍했는데, 여기저기 식탁이나 의자가 널브러져 있고 깨진 것을 보아 과거 식당이었거나 술집이었을 것이었다. 바닥에는 깨진 콘크리트 조각들과 부서지고 널브러진 집기들, 그리고 깨져 나간 타일 조각들도 군데군데 있었다. 허드슨이 움직이며 유리 타일을 밟자, 시끄러운 소리와 함께 타일이 으스러지듯 깨져 나갔다. 그러자 그는 나지막이 불평했다.

"슐츠, 감지기의 반응은?"

그러나 슐츠는 고개를 저었다. 네트워크 감지기에 잡히지 않는다는 것은 네트워크에 접속하지 않은 상태라는 것. 네트워크에 접속하여 병렬화의 정보 공유로 행동하는 로봇으로서 이러한 행동은 유별난 것이었다. 네트워크에 접속하지 않고도 독자적 행동이 가능하다는 것, 나아가 이렇게 한다면 네트워크 감지기에 걸리지 않을 것임을 알고 있다는 것이다. 적어도 놈은 일반적인 로봇과 조금은 다를 것이다.

"젠장, 골치 아픈 장소군."

벌써부터 문제가 생기기 시작했다. 이렇게 널브러진 잔해들은 무수한 엄폐물을 만들어 불시의 기습에 적절하게 대응하기 어렵게 만든다. 그리고 그것이 우수한 신체 능력을 바탕으로 근접하여 제압하는 로봇을 상대로 하는 것이라면 더욱 그렇다. 그러나 멈출 수는 없었다. 에일튼이 다시 행렬의 선두에 서서 조금씩 중심으로 나아가기 시작했다. 그리고 몇 걸음 옮겼을 무렵, 에일튼의 네트워크 감지기가 울리기 시작했다. 곧이어 다른 대원들의 감지기 역시 마찬가지였다. 주먹을 쥐어 정지 신호를 내리자 모든 대원들이 그 자리에서 멈추었다.

'놈이 다시 네트워크에 접속했다. 녀석은 분명 코앞에…….'

생각이 거기까지 미치는 그 순간, 누군가의 외마디 비명과 함께 타일이 와장창 깨지는 소리가 벽을 따라 울렸다. 그 소리에 놀라 뒤돌아본 에일튼의 시야에 들어온 것은 슐츠를 덮쳐 넘어뜨린 후, 그 위에 올라탄 채 다음 대상을 향해 달려들기 위해 도약하는 로봇이었다.

"젠장, 쏴버려!"

에일튼이 조준하고 쏘기 시작했다. 그러나 놀라우리만큼 날렵한 로봇은 재빠르게 피해 대원들을 농락하듯 뛰기 시작했다. 슐츠가 외마디 신음을 내지르며 다시금 몸을 일으키고, 에일튼이 그런 그를 뒤로한 채 다시금 로봇에 집중하며 방아쇠를 당겼으나 여전히 애꿎은 벽에 구멍만 낼 뿐 그를 앞질러 맞추지는 못했다.

순식간에 총성이 건물을 가득히 채웠다. 벌써 탄창 하나를 다 소모한 에일튼은 방탄복에 달린 탄집에서 빠르게 탄창을 새로 꺼내어 장전하고는 다시 쏘기 시작했다. 그러나 부질없는 짓이었다. 대원들의 사선 사이로 교묘하게 뛰어다니는 로봇은 충분히 대원들이 사격하는 걸 겁나게 만들었다. 대원들은 자신의 사선에 로봇과 아군이 둘 다 겹치자 총 쏘는 걸 머뭇거리기 시작했고, 그럴수록 로봇은 더욱 활개치기 시작했다. 그 순간, 톰에게 달려든 로봇이 그를 벽으로 처박았다.

로봇의 다음 대상은 에일튼이었다. 마치 하이에나처럼 눈에서 시퍼런 광채를 내뿜으며 무섭게 달려드는 모습은 그에게 순간적인 위압감을 주었다. 그가 잠시 주춤하자, 로봇은 그 틈새를 노려 전과 같이 에일튼을 넘어뜨렸다. 에일튼을 깔고 그 위에 올라탄 로봇은 망설이지 않고 주먹을 휘둘러 그를 무력화시키려 하였으나, 에일튼이 조금 더 빨랐다. 의체의 힘을 빌려 로봇을 힘껏 쳐낸 후 그대로 내동댕이쳐진 로봇에게 그는 재빨리 권총을 꺼내 들어 쏘고 또 쏘았다.

탄창이 다 비어 짤각거리는 소리와 함께 총성이 멎자, 그제야 에일튼은 한숨을 내쉬며 몸을 일으켰다. 로봇의 몸뚱이와 얼굴은 권총 한 탄창에 벌집이 되어 형상을 알아볼 수 없게끔 군데군데 떨어져 나가고 없었다.

"현 망에 수신 대기 중인 감마HQ, 감마HQ, 당국 '헌팅독' 이라 통보하고, 베타3-3 구역의 소거 작업을 완료했다. 인근 구역에 대한 사각 판독 결과는 어떻게 되었나?"

그러나 답신이 없었다. 무전이 통하지 않는 건가? 그는 다시금 무전기로 상황을 보고했다.

"현 망에 수신 대기 중인……."

"여기는 감마HQ, 베타3-5 구역에서 발산되는 네트워크가 집중적으로 다량의 정보를 처리하고 있음이 확인됐다. 아마 사고 병렬화의 허브 역할을 하는, 그러니까 이번 사건의 '원본' 일 가능성이 높다. 작전 속행 가능한가?"

"잠깐, 감마HQ, 그 정보 확실한가? '원본' 의 존재를 찾았다고?"

"그렇다. 확실하다."

"알겠다. 작전 전력에 여유가 있다. 작전을 속행하겠다. 통보 이상."

'원본' 의 존재를 찾았다고? 에일튼은 3-5 구역으로 이동하면서도 쉽게 믿기지가 않았다. 그러나 이내 생각을 정리했다. 어떻든 상관없다. 놈은 이 모든 사건의 주동자다. 녀석만 잡으면 상황은 타개될 것임이 틀림없었다. 에일튼은 좁은 골목을 따라 뛰고 또 뛰었다. 나머지 대원들도 그의 뒤를 따랐다. 빛이 들어오지 않는 골목에 접어들자 그들의 흑복이 그림자에 파묻혀 그 형체를 분간할 수 없을 정도로 희미해져 갔다.

5.

네트워크의 발산 신호가 점차 가까워지기 시작했다. 그게 원본인지 아니면 그저 단순한 잔존 로봇인지는 알 길이 없지만, 어쨌든 무언가가 아직 이 구역에 남아 있음은 확실했다.

네트워크 허브의 신호가 발산되는 지점은 회사 건물로 쓰였을 법한 대형 건물이었다. 사실 베타3-5 구역, 나아가 베타 구역 자체가 벨파스트 구역의 구 중심지였다. 그리고 그것은 대형 건물에서 적은 수의 인원으로는 포위망을 구성하기 어렵다는 것이고, 이 작전이 실패할 가능성이 상당히 높다는 것을 의미했다.

“여기다. 현 망에 수신 대기 중인 감마HQ, 감마HQ, 당국 ‘헌팅독’ 이라 통보하고, 베타3-5 구역에서 네트워크 허브 넷으로 추정되는 발산 지점 확인. 이대로 진입을 속행하나? 포위망을 형성하기에는 인원이 부족해 작전의 실패 가능성이 높다. 다음 명령 대기 중이다. 통보 이상."

"여기는 감마HQ, 작전 허가가 막 떨어졌다. 작전을 속행하라. 전뇌 데이터의 생사 여부는 묻지 않는다. 통보 이상."

작전 허가가 떨어졌다.

에일튼은 작전을 부정하지는 않았지만, 그러나 그가 보기에도 상부는 너무나 조급해 했다. 생사 여부도 묻지 않는다. 단지 상부는 사살을 원하고 있는 것이다. 그러나 에일튼은 상부가 조바심을 내며 무리하는 것도 나름은 이해가 갔다. 대규모 충돌 사태로 번진 벨파스트의 구역의 궐기의 주축, 즉 '깨어 있는 자'는 원본의 선동이나 다수의 행동에 충동적으로 끌려가는 것이 아니다. 대개 그러한 행동은 곧 한계에 부딪히거나, 명분을 상실할 때 순식간에 와해되기 마련이지만, 사고의 병렬화를 통해 주입된 프로그래밍은 그렇지 않다. 그것은 하나의 맹렬한 이데올로기, 그것을 넘어서 광적인 종교, 그 이상의 역할을 하는 것이다. 그들은 결코 배반하지도 않는다. 동조자를 만드는 것도 손쉽다. 단순히 메시지를 바이러스마냥 주입시키면 되는 것이다. 그런 의미에서 원본은 끝없는 궐기의 동조자를 생산하는 모체와도 같은 역할을 하는 것이었고, 원본을 제압하면 동조자의 생성은 그 한계에 부딪히게 된다. 그리고 그 원본은 지금 여기에 있다.

나머지 대원들이 에일튼의 명령을 기다리고 있었다. 무전 통신은 다들 전달받았을 테지만, 결론적으로 현장에서의 지휘는 그의 몫이었다. 그러나 언제나 그렇듯 당연하게 에일튼은 작전을 시작했다.

"클리어!"

"이쪽도 클리어다."

여기저기서 방이란 방, 무언가 숨을 만한 곳은 모조리 이 잡듯이 수색하기 시작했다. 그러나 아직까지도 조용하기만 하여, 대원들이 방에서 아무런 이상을 찾지 못했다는 보고만 넓고 조용한 복도와 사무실 곳곳을 때리며 울렸을 뿐 이떠한 기척도 나지 않았다. 네트워크 감지기도 여전히 네트워크 허브의 신호 하나를 제외하고는 더 이상 잡히지도 않았다.

"현 망에 수신 대기 중인 감마HQ, 감마HQ, 당국 헌팅독이라 통보하고, B-1-2 찰리하우스 1구역 수색 완료. 이상 없음. 통보 이상."

짧은 무전이 전달되고, 한 층의 수색을 끝마친 대원들은 잠시 경계하던 총구를 아래로 내렸다.

사무실로 쓰였던 것처럼 보이는 건물 내부는 어지럽기 짝이 없었다. 넘어진 의자, 여기저기 떨어진 문서. 바닥으로 떨어진 얼마나 오래 됐는지 모르는 구형 컴퓨터의 모니터도 있었다. 콘크리트 부스러기나 먼지도 곳곳에 수북했고, 석고 패널로 조립한 천장은 곳곳이 내려앉아 보기 흉했다. 16세기 프랑스의 창문만큼이나 큼지막한 정면 유리창으로 자연광만이 눈부시게 쏟아져 들어와, 그것을 경계로 사무실 안에 반쯤 그림자가 드리워지고 있을 뿐이었다. 에일튼은 정시 보고를 끝마치고는 다시 총구를 들어 올리며 뒤에 있던 대원들에게 말했다.

"다음 층으로 서둘러 이동한다. 움직여."

사무실을 빠져 나가, 비상계단으로 향하는 문을 열고는 총구를 위층으로 향하게 올리고는 천천히 줄을 지어 올라가기 시작했다. 마치 어릴 적 자주 했던 기차놀이나 꼬리잡기의 긴 행렬과도 같은 모습이었다.

좁기도 좁아 위험한 비상계단을 무사히 올라, 다음 층으로 향하는 문을 열기 위해 톰이 문고리를 잡고는 모두가 벽에 나란히 붙어 신호를 주고받았다. 그리고 에일튼이 톰과 눈을 마주치자, 에일튼은 고개를 작게 끄덕였다. 그러자 톰이 순식간에 문을 활짝 열었고, 그와 동시에 나머지 대원들이 문을 돌파해 방으로 일시에 돌입했다.

"쏴버려!"

그것은 급작스럽게 나타난 정체 불명의 대상을 보고 피아 식별을 하느라 갈피를 못 잡고 멀뚱멀뚱 서 있기만 하던 세 대의 로봇들을 향해 총구를 재빠르게 들어 올리며 에일튼이 내뱉은 말이었다. 그리고 그 말에 모든 총기가 일제히 불을 내뿜기 시작했고, 어떻게 손쓸 틈도 없이 세 대의 로봇은 그 형체를 알아볼 수 없을 정도로 '소거' 되었다.

"클리어!"

대원들이 어느새 고철더미가 되어버린 로봇들의 잔해를 발로 툭툭 건드려 보며 사살을 확인하며 보고했다. 아직까진 일이 순조롭게 풀린다. 그렇지만 에일튼은 자꾸만 가슴 한편에서 응어리진 무언가가 가슴을 답답하게 하고 있음을 느꼈다. 그리고 그것은 그뿐만 아니라 사실상 대원들 모두에게도 같이 느껴지고 있었다. 무엇이 문제란 말인가?

문제라면 너무 순조롭게 풀린다는 것이다. 그리고 슐츠가 물었다.

"너무 순조롭게 풀리는 거 같지 않아?"

"확실히 이상하지만 그렇다고 문제 될 건 없어. 정말로 원본, 그 자식 혼자 여기에 있다고 하더라도 네트워크 허브로 지금쯤 놈들을 마구잡이로 불러 모으고 있을지도 모르니까."

"함정이든 아니든 개고생이군."

슐츠의 표정이 일그러졌다. 그렇지만 에일튼은 그러한 표정을 본체만체 원본을 향해 다시금 한 발자국을 내딛기 시작했다.

6.

처음 세 대의 로봇들을 깡그리 잡고 난 뒤부터는 연이어 로봇들이 각 층마다 나타났다. 그리고 그들은 각 층마다 그렇게 하나하나 소거해나가기 시작했고, 그렇게 잡은 수가 몇인지, 그리고 이제는 몇 층을 더 올라왔는지도 기억이 가물가물했다. 사실 일일이 기억하고 싶지도 않았다. 이제는 정말 열세다. 탄약도 바닥이 보이기 시작하고, 벌써 대원을 둘이나 아래층 어딘가에 두고 왔다. 전뇌만 멀쩡하다면 얼마든지 살릴 수야 있었지만, 대원들이 저런 꼴로 로봇들 무더기에 같이 나자빠져 있는 꼴이 좋다고 할 수 없는 것은 확실했다. 그렇지만 이제는 조금씩 끝이 보일 듯했다.

에일튼은 슐츠에게 마지막 탄창을 받아 총에 끼우고는 마지막 계단을 올라, 이제는 끝이라고 생각되는, 그리고 그렇게 생각하고 싶은 곳으로 향하는 문 손잡이를 잡았다. 그리고 열기 전, 슐츠가 중얼거렸다.

"에일튼, 정말 여기 있는 게 확실하겠지?"

"글쎄, 나도 그러길 바랄 뿐이야."

그의 실없는 농담이 나지막이 흐르고, 슐츠가 조금은 어이없다는 표정으로 피식거리자 그것을 신호로 에일튼이 문을 박차고 열었다. 밝은 빛이 문을 타 넘어 음침하기만 하던 비상계단으로 흘러들어와 하얗게 색들을 물들이고, 그것과는 반대로 에일튼과 슐츠는 곧장 문 너머로 뛰쳐 나갔다. 그리고 그곳에는, 마지막 저항이라고 생각될 로봇 몇 대가 둘을 보고는 달려들기 시작했다. 둘은 저항하는 것인지, 혹은 저항하는 로봇들을 제압하는 것인지 알 길이 없었으나, 어쨌든 마지막 탄창을 퍼부었다.

황금빛 탄피가 순식간에 바닥으로 떨어져 밝은 햇빛에 눈부시게 빛나며 아무렇게 널브러지며 굴러다니고, 소총은 끝없이 불을 내뿜었다.

순식간에 탄창 하나를 비울 기세로 방아쇠를 누르자 달려오던 로봇들은 한 탄창씩을 그대로 다 받아낸 것인지, 그 자리에서 형체를 알아보기 힘들 정도로 산산이 부서져 쓰러졌다.

그리고 총구를 돌린 그 끝에는, 병렬화 네트워크의 허브—원본이 채광창을 향해 몸을 날리기 위해 막 발돋움하고 있었다. 그렇지만 에일튼이 좀 더 빨랐다. 다시금 총구의 불이 번뜩였고, 얼마 남지 않은 몇 발의 총알이 그의 머리와 가슴을 헤집고 부수었다. 그리고 치명타를 맞은 로봇은 그대로 무너져내렸다.

원본을 제거했다.

상황이 종료된 것이다.

에일튼은 그제야 총구를 내리고는 긴 안도의 한숨을 내쉬었다. 하지만 안도하기에는 너무 일렀다. 원본의 구조 신호를 듣고 몰려온 로봇들이 지금쯤이면 그 둘의 뒤에 바짝 따라붙었을 것이다. 서둘러 빠져나가야 했다. 상황을 에일튼에게 상기시키기 위해서, 그리고 상황이 주는 두려움을 떨쳐내기 위해 슐츠가 조급한 표정으로 에일튼에게 무어라 말했다.

그렇지만 에일튼은 그의 말에 대답하지도, 두려워하는 표정을 짓지도 않았다. 뒤돌아보지 않았다. 슐츠가 다시금 그에게 외치지만, 여전히 요지부동이다. 그는 몸이 굳어버린 양 그저 쓰러진 원본을 응시하고만 있었다.

그 순간, 비상구를 통해 로봇들이 무더기로 쏟아져 들어오고, 슐츠는 겁에 질린 표정을 지으며 총구에서 마지막 총성을 내뿜었다. 그렇지만 이내 그것은 곧 침묵하고, 그는 로봇들에게 둘러싸여 침식하듯 그들의 무리 속으로 사라져 간다. 그리고 그제야 에일튼은 뛰기 시작한다. 하지만 그것은 도망 따위가 아니었다. 애초에 로봇들과 그가 전혀 다른 공간에 있었던 것처럼, 에일튼은 그들을 전혀 의식하지 않고 쓰러진 원본을 향해 한 걸음, 두 걸음 뛰기 시작했다.

원본은 도망치고 있었다.

자신의 육체를 버리고 자유로운 네트워크 속으로 다이브하였던 것이다. 그렇게 되면 그는 결국 무수한 네트워크의 정보 속에서 그 흐름의 하나가 되어 자신을 숨기고 말 것이다. 그렇다면 이게 마지막 기회였다. 에일튼은 순식간에 원본을 향해 달려가, 목덜미에 대고 자신의 플러그를 빼들어 끼워 넣었다. 그리고 그 순간, 마치 현기증과도 같은 나른함이 그에게 엄습하고, 무겁고도 검은 무엇인가가 그의 모든 감각을 단절시켰다가 말끔하게 사라진다.

그리고 눈을 뜬 곳은, 그 수를 헤아리지 못할 만큼 많은 데이터 블록이 쌓여 있는, 그럼에도 그 수에 비하여 깔끔하게 일괄적으로 정렬되어 있는 어딘가였다. 그는 이러한 네트워크 속의 장소를 어디선가 본 듯한 느낌을 받았다. 그리고 그는 그것이 연방보안대의 데이터 사이트와 닮았다고 생각했다. 그렇지만 에일튼은 이러한 데이터 사이트에 접속한 기억이 없었다. 자신도 알지 못하는 비밀을 요구하는 데이터들이 쌓여 있다는 것인가?

에일튼은 원본이 도망친 이곳이 무엇을 저장하고 있는지, 그것을 확인하기 위해 수많은 데이터 블록 중 하나를 열었다. 그리고 그는 머리가 화끈거릴 정도로 무언가에 얻어맞은 느낌이었다. 그가 열어본 데이터 블록에는 다음과 같이 기록되어 있었다.

형식번호: MPT3305 에일튼

비고: 특수 작전의 효율성 — 현장 판단력과 개별적인 독자 작전 능력을 위

해 인간의 사고 방식을 모방함. 특수 목적용 로봇.

기록

— 3227 기억 패턴 시나리오 삽입 작업 완료 — 비고: [2]

— 3227 기억 검열에 의한 소거 작업 완료 — 비고: [2]

— 3228 기억 패턴 시나리오 삽입 작업 완료 — 비고: 없음

— 3228 기억 검열에 의한 소거작업 완료 — 비고: [1]

— 3229 기억 패턴 시나리오 삽입 작업 완료 — 비고: 없음

— 3229 기억 검열에 의한 소거 작업 완료 — 비고: 없음

…….